La Calaca Alegre

Cover and Chapter Art by
Irene Jiménez Casasnovas

by

Carrie Toth

Edited by
Carol Gaab

ISBN: 978-1-935575-90-0

TPRS Publishing, Inc., P.O. Box 11624, Chandler, AZ 85248

800-877-4738

info@tprstorytelling.com • www.tprstorytelling.

Acknowledgments

I would like to thank Hector Duarte for his generosity opening his studio to me and for allowing me to share his art with students. Ray Fragoso, you brought me to Pilsen when we were kids and this story grew from those memories! To my friends Lori Jansen and Adela and Horacio Guzman, muchísimas gracias for volunteering your time and your talent to help me! And to Carol Gaab, I can't thank you enough for your patience, encouragement, and keen eye for what makes a story better!

Índice

Capítulo 1: Problemas psicológicos

Carlos Frago entró en la oficina de la psicóloga, la Dra. Pauletta Smith, una especialista en la condición de trastorno de estrés postraumático[1]. Ella trabajaba en una clínica en San Luis, Misuri pero venía a esta clínica en Carlyle, IL dos veces al mes para ver a sus clientes al otro lado del río Mississippi.

[1]trastorno de estrés postraumático - Post-Traumatic Stress Disorder (PTSD)

Por algunos años Carlos había consultado a una psicóloga local sin resultados. Su abuela estaba muy preocupada por su condición así que cuando escuchó que esta especialista iba a venir a Carlyle, la llamó inmediatamente para hacer una cita. Carlos se sentó en una de las sillas grandes y cómodas. Ella lo estaba esperando en otra silla.

– Qué bueno verte, Carlos. ¿Cómo estás?

– Bien –le respondió sin entusiasmo. Carlos odiaba las visitas a la psicóloga–.

– ¿Has soñado con tu mamá esta semana?

No sabía por qué siempre le hacía la misma pregunta. ¿Quería hacerlo sentir más loco? SIEMPRE soñaba con su mamá y siempre tenía la misma pesadilla: Estaba con su madre, el último día en que la vio. Ella llevaba el vestido negro que tenía la noche que desapareció. Estaba llorando y llamándolo. Carlos siempre trataba de correr hacia ella y ayudarla, pero no podía. Estaba atrapado como si una fuerza muy grande

no lo dejara ayudarla. Desafortunadamente, cada pesadilla terminaba de la misma manera: Ella salía de la casa y Carlos se despertaba con una sensación de pánico porque no la podía salvar.

– ¿Y qué piensas de la medicina que te di? ¿Hay menos pesadillas?

– Sí, hay menos –Carlos mintió.

No había tomado la medicina. Ellos lo creían loco pero él sabía que no lo estaba.

– Y la presencia que sientes… ¿Todavía está contigo?

Carlos sintió la respiración de alguien a su espalda pero mintió otra vez sin pensarlo.

– Ya sabes la respuesta, la medicina no me puede ayudar si no estoy loco –le respondió enojado.

– Carlos, yo sé que no te gustan mis preguntas pero quiero estar segura de que tengo toda la evidencia necesaria para hacer mi diagnóstico –respondió ella sinceramente–. Nadie te cree loco. Sólo queremos ayudarte con las pesadillas y las alucinaciones. ¿Cómo te va con la pintura?

Después de haber consultado con un especialista en la condición de trastorno de estrés postraumático,

Carlos se sentía mejor. Su familia todavía lo creía loco pero ella le había recomendado una forma de reducir la preocupación que sentía por su madre.

– Me gusta. Cuando pinto, siento una fuerte conexión con ella.

Desde muy joven, Carlos había dibujado y pintado. Su clase favorita siempre había sido el arte. Como era tan artístico, ella le había recomendado que pintara lo que sintiera. Al principio, Carlos estaba escéptico pero mientras pintaba realmente se sentía más tranquilo.

– ¿Dra. Smith? –la secretaria llamó a la psicóloga desde el intercomunicador del teléfono.

– Perdón –le dijo la doctora a Carlos contestando el teléfono.

«Sí… está bien. Ya voy».

– Carlos, perdóname –le dijo la doctora levantándose abruptamente–. En un momento regreso.

Cuando ella salió, Carlos se levantó y se acercó al escritorio grande. Allí estaba su archivo. Lo abrió y empezó a leer su historia. A los siete años, su madre había desaparecido. Desde entonces, las pesadillas lo habían torturado. Su familia no sabía qué hacer. Cuando tenía 8 años, su familia pensó que Carlos sufría de trastorno de estrés postraumático y que el salir de la ciudad lo ayudaría. Así que se fue a vivir con su abuela. Cuando salió, dejó atrás su escuela, a todos sus amigos, a sus tíos, a sus primos y todo lo familiar... pero no dejó atrás el misterio de La Calaca Alegre. Empezó una vida nueva pero no podía dejar atrás la memoria de su madre y su rara desaparición.

Ella había escrito una lista con sus síntomas: pesadillas, alucinaciones, obsesión, ansiedad.... Carlos no quería leer más. Había pasado diez años escuchando los consejos de los psicólogos, ya no más. Cerró el archivo de prisa cuando escuchó a la psicóloga en el pasillo. Rápidamente regresó a su silla y se sentó antes de que ella abriera la puerta.

– Lo siento, Carlos. Gracias por tu paciencia.

Carlos la interrumpió diciéndole:

– Dra. Smith, voy a ir a Chicago. Las medicinas no me van a curar. Lo único que me puede ayudar es encontrar a mi madre. Me visita por alguna razón. Me necesita.

En eso, se levantó y salió del consultorio dejando a la psicóloga boquiabierta sin poder responderle. En la sala de espera su abuela lo miraba sorprendida mientras que él salía del edificio. Había venido al consultorio con ella pero no la esperó, empezó a caminar hacia su casa pensando, *«No estoy loco. Ya lo van a ver»*.

Capítulo 2
Pesadillas

Desde el día desastroso en la oficina de la psicóloga, su abuela no había tratado de interferir con sus planes de ir a Chicago. ¿Ella le tenía miedo? Carlos no lo sabía y realmente no le importaba. Solo pensaba en prepararse para el viaje.

Carlos abrió su archivo y leyó el reporte policiaco otra vez. Estaba cansado pero este archivo era una obsesión. Al leerlo, no encontró nada nuevo. La policía había ido al restaurante, había investigado la desaparición de su madre, pero no había encontrado ninguna evidencia. Carlos no podía creerlo. Quería encontrarla o al menos quería encontrar... algo... Algo que le pudiera dar la paz que buscaba. *«Lo voy a leer una vez más,»* pensó.

5 de mayo del 2002
Residencia Frago, Chicago, IL

Los Frago dicen que Angélica, hermana menor del señor Raimundo Frago, recibió una invitación ayer, en su trabajo, para una fiesta en el comedor privado del restaurante La Calaca Alegre. El detective James Roberts fue al restaurante y habló con los empleados. Investigaron el testimonio de la familia pero no encontraron un comedor privado en el restaurante.

El restaurante acaba de remodelar la cocina y el comedor y recientemente reabrió sus puertas al público. Están instalando un letrero nuevo en la esquina de las calles 19 y Ashland pero las otras renovaciones ya han sido terminadas.

El detective no encontró nada dentro del restaurante pero encontró el carro de la señorita Frago enfrente del restaurante con todas sus posesiones adentro. Un grupo de detectives llevó el carro a la estación de policía para buscar evidencia y otro grupo exploró todo el restaurante. Parece que la Señorita Frago no entró al restaurante.

«¡Nooo, nooooo!». Carlos se movió, gritando y temblando. Se había dormido leyendo los papeles que tenía en su archivo. *«¡NO VAYAS! ¡NOOOOO! ¡Ma…!»*.

Se despertó. Podía escuchar los latidos de su corazón. Respiraba como si hubiera corrido una maratón.

Carlos se tocó la cabeza regresando al presente. De niño, Carlos había vivido en Pilsen, un vecindario mexicano. Originalmente era un vecindario polaco pero con los años los polacos se habían ido dejándole el territorio a los inmigrantes mexicanos. Muchos residentes de Pilsen estaban orgullosos de su comunidad. Había algunos problemas con las pandillas pero la mayoría de la gente era honesta y trabajadora. Ahora que tenía 17 años había decidido regresar a Pilsen. Quería regresar para tratar de resolver el misterio. Quería entrar en La Calaca Alegre e investigar, pero realmente quería saber más sobre la última noche de la vida de su madre. Quería que las pesadillas lo dejaran en paz. Quería que la presencia de su madre lo dejara en paz también.

– Carlos –le preguntó su abuela entrando en su dormitorio–, ¿estás seguro? Si regresas a Pilsen, sólo te vas a encontrar con más preguntas. Nadie encontró evidencia y tú… pues...Cariño, los fantasmas no existen. Por favor, Carlos, escucha los consejos de la psicóloga. Toma la medicina. Deja que la Dra. Smith te ayude.

– Abue –le respondió Carlos abrazando a su

abuela–, ¿qué pasa si ella no murió? He leído los reportes. No encontraron su cuerpo, no encontraron sangre[1] ni evidencia de un acto violento. Ella puede estar viva. Ella está comunicándose conmigo. No estoy loco. Me necesita.

Su abuela bajó la cabeza sin decir nada. Por fin, habló con voz cariñosa:

– Carlos, tienes 17 años. No dejas de pensar en tu mamá y necesitas darte cuenta por ti mismo de que no hay una solución para este misterio. No voy a detenerte. Puedes ir –le dijo su abuela preocupada–. Por favor, mijo, no te

[1] *sangre - blood*

metas en líos. Vete a Chicago pero prométeme que cuando regreses vas a tomar en serio los consejos de la psicóloga.

Ella hizo una pausa y lo miró con ojos tristes.

– No te preocupes. No me meteré en líos, abue. Regresaré. Resolveré el misterio y regresaré. Uds. van a ver, no estoy loco –le respondió con confianza, abrazándola.

Capítulo 3:
Recuerdos

Carlos miraba por la ventana del carro de su tío, Raimundo. Observaba la ciudad de Chicago. La vida aquí era diferente. Sonrió cuando vio los edificios altos y todo el tráfico. En Carlyle, no había mucho tráfico. *«Jajá. No hay mucho tráfico porque no hay mucha gente»*, pensó.

Había volado desde San Luis, Misuri al aeropuerto O'Hare en Chicago donde su tío estaba esperándolo.

Ahora, iba con Raimundo a su casa en el corazón de Pilsen. Iban a la casa donde había pasado cada domingo cuando era niño. Carlos estaba muy emocionado.

Raimundo, su tío, era el hermano mayor de su madre, Angélica. Cuando Angélica desapareció, Raimundo la buscó por muchos años. Cuando ella no regresó a casa, el detective Roberts le dijo que ella había abandonado a Carlos. Le dijo que ella no estaba muerta. Raimundo estaba seguro de que no era verdad. Cuando encontraron su carro enfrente del restaurante, encontraron su bolso: con todo su dinero, su licencia de conducir, sus tarjetas de crédito... con todo. La familia no creía que ella hubiera abandonado a Carlos. Todos sospechaban que era un juego sucio[1]. Creían que algo terrible le había pasado, pero ni la familia ni la policía encontraron un solo gramo de evidencia.

Con el tiempo, la policía también sospechó de un juego sucio. Aceptó que Angélica no iba a regresar. Aceptó que ella probablemente estaba muerta.

Carlos estaba perdido en sus pensamientos cuando notó que se acercaban al vecindario mexicano Little Village. Sonrió...Reconoció todo el vecindario. Lo había visitado muchas veces de niño con su mamá y sus primos. Sentía grandes emociones. Su vecindario, Pilsen,

[1]*juego sucio - foul play*

quedaba al otro lado de Little Village. Casi habían llegado.

– Recuerdo todo, tío, –le dijo a Raimundo mirando los edificios familiares y sonriendo–. Allí está mi taquería favorita, El Milagro.

– Sí, hijo. Es mi favorita también. ¿Tienes hambre?

En realidad, sí tenía mucha hambre. Había desayunado con su abuela antes de salir para el aeropuerto pero ya eran las dos de la tarde y necesitaba comer.

– ¿Podemos comer allí?

– Sí, claro –le respondió Raimundo y estacionó el carro cerca del restaurante.

Carlos estaba sumamente feliz. No había visitado la ciudad por muchos años. En Carlyle, donde vivía ahora, la comida mexicana era diferente. Era comida méxico-americana. Quería comer comida mexicana auténtica.

Los dos entraron a la taquería y miraron el menú. Fue una decisión difícil para Carlos porque le encantaba toda la comida. No sabía que comer.

– ¿En qué puedo servirles? –les preguntó una empleada.

– Dos tamales de pollo, arroz y frijoles –le respondió su tío.

– ¿Y para Ud.? –le preguntó a Carlos.

– Quiero chiles rellenos con arroz y frijoles. Hmmmmmm...–le encantaban los chiles rellenos: chiles picantes, queso, salsa roja...deliciosos.

Fueron a la mesa con la comida y Carlos la devoró rápidamente. Casi no respiró. Al terminar la comida, su tío lo miró con una expresión alegre y le dijo:

– Vámonos, Carlos. Tu tía nos espera en casa. Si llegamos tarde, ella no va a estar contenta.

Carlos se levantó y empezó a limpiar la mesa. De repente sintió un escalofrío....la presencia...¿Su madre? La sintió a su lado. Carlos se agitó. Se dio la vuelta y chocó con un hombre alto vestido completamente de negro.

– Perdón –le dijo.

El hombre no le respondió y siguió caminando hacia una mesa en un rincón del restaurante. Carlos no dejó de mirarlo. La presencia que sintió a su lado fue escalofriante. Confundido Carlos caminó hacia la salida y siguió a su tío al carro.

Durante los diez minutos que pasaron en el carro, Carlos observó el vecindario. Nada le llamaba la atención hasta que vio el letrero del restaurante. Allí estaba...'La Calaca Alegre'. Había muchos clientes en el restaurante, como siempre, y todos salían riéndose y hablando. Carlos pensó en su madre. *«Te encontraré, mamá. Te prometo que descubriré la verdad de tu desaparición.»*

Capítulo 4
Una visita al pasado

Entraron en la casa y toda la familia los estaba esperando.

– ¡Carlos! –gritó su tía, Carolina, agarrándolo–. Estás tan grande. Ya eres todo un hombre.

– ¡Hola, Carlos! –le dijo su prima, Micaela abrazándolo.

– ¡Carlos! ¿Qué pasa, hermano? –le preguntó su primo, Abelardo.

Carlos estaba muy alegre. Su abuela nunca lo había llevado a Chicago. Ella no quería que Carlos estuviera allí, cerca de los recuerdos de su madre desaparecida. Sus primos y tíos visitaban la granja, pero no mucho. *«Por fin»*, pensó, *«puedo pasar unas semanas con mi familia.»*

Le encantaba estar con su familia, especialmente con su tío Raimundo. Raimundo era el hermano de su madre así que tenía muchas anécdotas cómicas suyas. Cuando él hablaba de Angélica, Carlos podía imaginársela de nuevo. Realmente, Carlos no tenía muchos recuerdos claros de su madre y con los años, tenía aún menos porque sólo tenía 7 años cuando ella desapareció. El único recuerdo que no lo dejaba era el más traumático; el de la noche en que ella desapareció.

– ¿Cómo fue el vuelo, hijo? –le preguntó Carolina interrumpiendo sus pensamientos.

– Muy corto, tía. Solo pasé 45 minutos en el aire.

– ¿Y tú abuela? ¿Cómo está Benita?

Carlos sonrió y le respondió:

– ¡Ocupada! Siempre con una nueva idea para la granja...animales nuevos, un proyecto de construcción...Ella trabaja veinticuatro horas y siete días de la semana.

Hablaron en la sala hasta la medianoche y uno por uno todos se fueron a dormir, menos Carlos. Él se quedó en la sala mirando un álbum de fotos de su madre. Dejó de respirar cuando vio una foto de él al lado de ella la noche en que desapareció...ella, vestida de negro y zapatos elegantes y él en su pijama abrazándola...

Era viernes...viernes, 4 de mayo. La comunidad de Pilsen estaba preparándose para las fiestas del 5 de mayo, el día de la batalla de Puebla. El día en que los mexicanos lucharon contra los franceses y ganaron. Todos los restaurantes anticipaban miles de turistas en Pilsen para celebrar el día en el vecindario mexicano.

Esa noche, cuando ella regresó del trabajo, entró a la casa sonriendo. Carlos estaba con su tía Carolina quien lo cuidaba mientras su madre trabajaba. Su madre estaba muy alegre y Carolina le había preguntado por qué. Su madre tenía una invitación en la mano y repitió: *«Me invitaron, ¡me invitaron a mí!»*. Había una copia de la invitación en el reporte policiaco y Carlos lo había examinado muchas veces.

> *Angélica Frago:*
> *Está usted invitada a una fiesta privada.*
>
> *Celebramos el final de las renovaciones del restaurante con una fiesta para honrar a representantes de todos los bancos locales. Queremos invitarla a usted como representante del Primer Banco Nacional.*
>
> *La fiesta empieza a las 8 de la noche*
> *el 5 de mayo*
> *en el comedor privado del restaurante.*

Su madre había estado alegre. Trabajaba en el Primer Banco Nacional y era una mujer muy trabajadora. ¡Qué honor recibir una invitación a una fiesta especial! Representar al banco realmente era un honor para ella. Podría hablar con personas importantes en la fiesta. Era difícil cuidar a Carlos sin la ayuda de su padre. Ella había hablado mucho con Carolina de la posibilidad de recibir una promoción o un aumento de salario.

La noche del 5 de mayo llegó y Angélica salió del

dormitorio llevando puesto un vestido negro elegante. Carlos recordó que la había agarrado fuertemente. Quería ir con ella.

Ella lo abrazó. Le dijo que no podía ir, pero que iba a comprarle un churro al otro día si escuchaba todo lo que le dijera su tía. Carlos estaba contento. Angélica lo besó y besó a Carolina también. Carolina les sacó una foto a ella y Carlos y después, Angélica les dijo *«adiós»*, salió, y nunca regresó a la casa.

Carolina se preocupó cuando Angélica no regresó a las 2 de la mañana,pero a las 7, ya estaba frenética. Angélica era la hermana de su esposo. La había conocido por más de quince años. Sabía que ella era una mujer responsable...sumamente responsable. Cuando el padre de Carlos no había querido la responsabilidad de un niño, ella había aceptado toda la responsabilidad sin cuestionarla. Carolina sabía que algo horrible le había pasado.

Por la mañana, Carlos estaba enojado porque su mamá no lo había llevado a las celebraciones del cinco de mayo. ¡Ella le había prometido un churro! Pero cuando ella no regresó ese día, ni el siguiente, se sintió culpable. Se había preocupado más por su churro que por su madre.

La policía la buscó pero no encontró nada. Ellos

encontraron todas sus posesiones. Su bolso estaba en el carro y el carro estaba estacionado enfrente de La Calaca Alegre. Todo parecía normal. No había evidencia de un juego sucio...Todo parecía normal pero ¿dónde estaba Angélica?

Después de diez años sin una sola palabra, la familia quería declararla muerta. Querían cerrar el caso pero también querían que Carlos tuviera el dinero de su póliza de seguros[1] para la universidad. Carlos ya vivía con su abuela en la granja en Carlyle y todos menos Carlos creían que ella realmente estaba muerta.

Carlos no sabía qué creer. Toda la evidencia indicaba que ella estaba muerta pero la presencia que sentía y las pesadillas que lo atormentaban lo dejaban confundido. Toda la familia decía que su madre nunca lo hubiera abandonado, pero si no lo abandonó, ¿Dónde estaba? Carlos no se lo podía imaginar pero lo iba a investigar. Todos consideraban su investigación una pérdida de tiempo, una locura, pero si Carlos hubiera desaparecido, sabía que su madre lo habría buscado hasta su último aliento y él no iba a hacer menos por ella.

[1]*póliza de seguros - insurance policy*

Capítulo 5
La impaciencia y la paranoia

«Uuhhhh...Uuuuuuuhhhh» Carlos se movió en la cama. *«Nooooooooo...¡NOOOOOO!»* Carlos se despertó agitado, con el corazón palpitándole erráticamente. El psicólogo llamaba a las pesadillas 'ataques de ansiedad.'

«Uy. Otra vez...», pensó. La pesadilla repetida de su madre era tan real que a veces se despertaba buscándola en su dormitorio.

Quería dormir más pero no podía. Ya que estaba en

Pilsen, quería empezar su investigación lo más pronto posible. Se levantó y fue al baño para prepararse. Luego, fue a la cocina donde encontró a su tía Carolina preparando el desayuno.

– Tía –le dijo abrazándola–. Estás preparando chilaquiles. ¡Me encantan los chilaquiles!

Carlos pensó en su abuela. Ella no cocinaba mucho. Estaba muy ocupada en la granja así que normalmente comían fruta o cereal para el desayuno. Carlos estaba muy alegre de estar con su familia mexicana porque realmente le gustaba la comida de México.

Conversaron mientras comían y los otros miembros de la familia entraron uno por uno, despertados por el olor de los chilaquiles. *«Huevos, salsa, tortillas, queso»*, pensó sonriendo, *«Una alternativa al despertador»*.

– Carlos, tengo que trabajar hoy pero si quieres,

me puedes acompañar –le dijo Abelardo–. Trabajo en el Museo Nacional de Arte Mexicano. Como eres artista, creo que te van a gustar las exhibiciones.

Carlos realmente no quería ir al museo, quería buscar a su mamá.

– No sé, Abel. Prefiero ir a La Calaca Alegre para hablar con los empleados.

– Primo, sé paciente –le respondió Abel sonriendo–. Vamos a ir a La Calaca Alegre. Quieres investigar y podemos investigar. No puedes ir solo al restaurante, así que pasa el día en el museo conmigo y después del trabajo vamos con Micaela a cenar allá.

«¿Sé paciente?», pensó Carlos frunciendo el ceño[1] otra vez. *«¿Esperar 10 años no era paciencia?»*...Pero no quería ir solo. Quería que Abel y Micaela lo acompañaran.

– Está bien –le respondió por fin–. Voy al museo y después vamos al restaurante.

Los dos muchachos tomaron los almuerzos que Carolina les preparó, la abrazaron y salieron para el museo. Mientras caminaban, Abel habló de los murales en las paredes de los edificios en el vecindario. Había uno

[1]*frunciendo el ceño - frowning*

muy grande en la pared de una casa/estudio cerca del museo.

– Este mural –le dijo Abelardo–, se llama Gulliver en el país de las maravillas. Es mi favorito. El artista, Héctor Duarte, vive allí en la casa/estudio. Representa los problemas que tienen los chicanos en los Estados Unidos y la dificultad de entrar en el país y vivir como americanos.

Carlos miró el mural. Vio la forma de un hombre, un hombre enorme. Gulliver era tan grande como la casa/estudio. En los pantalones de mezclilla[2] de Gulliver, vio agua y detrás de Gulliver vio la ciudad de Chicago. Quería saber más del mural.

– Representa su viaje de México a los Estados Unidos –le explicó Abel–. Héctor Duarte estudió arte en México. Estudió en la escuela del famoso artista David Alfaro Siqueiros. Llegó a los Estados Unidos en 1985 y vive aquí en Pilsen. –Abel sonrió.

Abel empezó a caminar de nuevo y en ese momento dijo:

– Allí está el museo.

– Lo recuerdo –respondió Carlos–. Lo visité con mi clase del segundo grado.

– Es diferente, primo. Ahora tenemos una colección enorme y puedes aprender mucho de la historia de los chicanos. Las familias chicanas vivían en el territorio de los Estados Unidos cuando era parte de México así que forman parte de la historia de los Estados Unidos también.

Los dos muchachos caminaron hacia la puerta del museo. Carlos miró hacia la calle una vez más. No vio nada fuera de lo normal. Pensó: *«¿Por qué me siento tan paranoico? Quizás la abuela tenga razón. Quizás esté loco.»*

[2]*mezclilla - denim*

Capítulo 6
La Calaca Alegre

A las cuatro Abelardo y Carlos salieron del museo y regresaron a la casa. El día era perfecto. Hacía muy buen tiempo. A Carlos le gustó caminar por el vecindario mirando los murales y observando a la gente de Pilsen. En muchos murales se veían caras de los residentes de la comunidad y la figura de la Virgen de Guadalupe. Abel era experto en los muralistas de Pilsen y le explicó a Carlos el significado de cada uno mientras caminaban.

– Un día, quiero pintar un mural como estos –Carlos le confesó a su primo–. Quiero pintar algo significativo. Algo que llame la atención de todos.

Abel le respondió sonriendo:

– Creo que lo puedes hacer, primito.

Llegaron a la casa a las cuatro y diez y encontraron a Carolina otra vez en la cocina.

– Tía, ¿Vives aquí en la cocina? –le preguntó Carlos sonriéndole.

– Sí, mijo. Trabajo noche y día preparando comida para esta familia. Siempre están comiendo. Ja, ja, ja –se rió mucho pensando que su chiste era muy cómico.

–Vamos a comer hoy con Micaela en La Calaca Alegre, mamá –le informó Abel–. Carlos no puede pensar en nada más que en ir al restaurante, así que prefiero ir hoy que escucharlo llorar como un bebé el resto de la semana.

Abel miró a Carlos con una sonrisa juguetona:

– Es verdad, ¿no? ¿Vas a llorar si no vamos hoy?

Carlos le pegó en el brazo a su primo:

– No voy a llorar pero sí voy a irme solo si no me acompañas.

– Comprendo que busques respuestas, Carlos, pero tengo miedo de que no vayas a encontrar lo que buscas –le dijo su tía tomándole la mano–. Nosotros fuimos a La Calaca Alegre y hablamos con todos los empleados. Dicen que el comedor privado no existe. Dicen que tu mamá nunca entró en el restaurante. Si la policía no la encontró y nosotros no la encontramos, es probable que no la vayas a encontrar tú tampoco.

– Sí tía. Comprendo pero necesito ir. Necesito visitar el restaurante y verlo con mis propios ojos. Quizás estoy loco pero si no voy al restaurante, nunca lo sabré.

– Quiero que la encuentres. Quiero que tengas

paz pero realmente no sé qué le pasó a tu madre, amor. Tengo miedo de que nunca vayamos a saberlo.

Carolina se acercó a Carlos y lo abrazó fuertemente. Entonces, siguió hablando:

– Tu mamá te amaba y ella estaría feliz de verte ahora. Eres un hombre. No creo que estés loco, Carlos, creo que estás atormentado. Espero que puedas encontrar lo que buscas.

Carolina fue a la sala para buscar su bolso. Regresó con unos billetes en la mano.

– Toma. Si Uds. van a investigar, lo menos que puedo hacer es comprarles la cena –les dijo sonriendo.

– Gracias mamá –le respondió Abel besándola

en la mejilla.

– ¡MICAELA! –gritó Carolina–. Los muchachos quieren salir ya. ¿Dónde estás?

Micaela entró en la cocina con los zapatos en la mano:

– Aquí estoy. Vámonos, chicos –les dijo poniéndose los zapatos–. La Calaca Alegre nos espera.

Carolina los miró y les dijo con seriedad:

– No se metan en líos. Angélica no abandonó a Carlos y la persona responsable todavía puede estar aquí en Pilsen.

Con eso, los tres primos salieron de la casa y se subieron al carro de Raimundo para ir al restaurante. Estaba en la esquina de las calles Kedzie y 19. Carlos lo observó en la distancia. Era un restaurante normal. Era muy popular para la gente de Pilsen y de toda la ciudad. Estacionaron el carro y entraron en el restaurante.

– ¿Para cuántas personas? –les preguntó la empleada.

– Para tres personas –le respondió Micaela.

– Por aquí –ella les dijo tomando unos menús y caminando hacia una mesa en la esquina, cerca de las ventanas.

La mesera llegó a la mesa y los tres pidieron horchata para beber. En Carlyle no había horchata y Carlos estaba alegre porque era su bebida favorita...Y la favorita de muchos mexicanos. Cuando ella regresó con las bebidas, Carlos le preguntó:

– Quiero celebrar mi cumpleaños con una gran fiesta. ¿Es posible reservar el comedor privado para fiestas de cumpleaños?

La chica lo miró confundida.

– ¿Comedor privado? No hay ningún comedor privado aquí. Si quieres hacer una fiesta aquí, puedes reservar unas mesas o una sección del comedor, pero no hay ningún comedor privado. Lo siento.

– ¿Estás segura? –insistió Carlos.

– Sí, estoy segura. Pero si quieres hablar con el dueño, él está aquí hoy –le respondió dándose la vuelta y caminando hacia la oficina.

Ella se fue y los primos se miraron.

– Carlos, nadie en La Calaca Alegre admite que hay un comedor privado. Ni la policía, ni mis padres encontraron otro comedor cuando tu mamá desapareció. Simplemente no existe.

Micaela habló en voz muy baja:

– O si existe, es un secreto que guardan muy bien.

En pocos minutos el dueño, Diego Guzmán, se acercó a la mesa. Todos se asustaron. Era muy delgado. Parecía un esqueleto vivo.

– ¿Uds. querían hablar conmigo?

– Sí, señor –respondió Carlos nerviosamente–. ¿Podemos reservar el comedor privado para una fiesta de cumpleaños?

– Lo siento. No hay ningún comedor privado en este restaurante. Pero puedes reservar unas mesas o una sección del comedor para tu fiesta.

El hombre los miró esperando una respuesta pero ellos estaban tan nerviosos en su presencia que no le respondieron.

– Entonces, ¿quieres reservar unas mesas para tu fiesta? –le preguntó el dueño.

– Uh, no gracias. Preferimos un comedor privado.

– Está bien –le respondió el dueño y se fue irritado.

Cenaron, pagaron la cuenta, y se levantaron para salir. Carlos observó el gran comedor una vez más. *«¿Dónde estás, mamá? ¿Qué te pasó aquí?»* Con solo pensar en ella, su corazón palpitaba. No podía explicárselo pero tenía un mal presentimiento.

Cuando se dio la vuelta se encontró cara a cara con el dueño.

– ¿Les gustó la comida? –les preguntó suavemente.

– Sí...T-t-t-todo estuvo rico. Gr...gracias –le respondió Carlos nerviosamente.

– Excelente –susurró con una sonrisa que les dio escalofríos a todos–. Regresen pronto, entonces.

– Gracias –le dijo Micaela agarrándole el brazo a Carlos y saliendo del restaurante rápidamente.

Carlos sintió los ojos del hombre penetrando su espalda hasta que llegó al carro. ¿Era él la causa del pánico que sentía?

– ¿Creen que no le hayan gustado al dueño las preguntas que le hicimos? –les preguntó Abel mientras conducían hacia la casa.

– No sé –le respondió Micaela–, pero creo que quería asustarnos.

– Pues, me asustó –le dijo Carlos riéndose nerviosamente.

Capítulo 7
La investigación

La familia pasó unas horas mirando la tele y conversando. A las once, Raimundo y Carolina se fueron a su dormitorio dejando a los jóvenes solos en la sala.

– ¿Qué vamos a hacer? –les preguntó Carlos en voz baja–. Nadie en La Calaca Alegre nos va a decir la verdad así que tendremos que investigar.

– ¿Qué quieres hacer? ¿Cómo quieres investigar? –le preguntó Micaela nerviosa.

Abel y Micaela lo miraron sospechosamente. Abel le dijo:

– Primo, ese hombre me asustó. No quiero encontrarlo otra vez. Prefiero no regresar a La Calaca Alegre.

– Quiero ir esta noche. Quiero ir al restaurante cuando nadie esté ahí. Si vamos ahora, podremos investigar un poco y el hombre no estará allí.

– Estás loco, Carlos. ¿Quieres ir al restaurante ESTA noche? ¿Quieres ir al restaurante donde tu mamá DESAPARECIÓ? ¿Esta noche? Estás loco...Completamente loco.–le dijo Micaela frustrada.

– Miki, no estoy loco. Piénsalo. Si vamos al restaurante esta noche, podremos mirar por las ventanas y buscar evidencia del comedor privado. Si no vemos nada, podremos regresar a la casa pero si hay algo, llamaremos a la policía.

– No es una buena idea, Carlos. La policía ya buscó el comedor hace 10 años. Realmente creo que no existe. Es posible que tu mamá nunca entrara en La Calaca Alegre. Es posible que alguien se la llevara antes de entrar. Quizás La Calaca Alegre no tenga nada que ver con la invitación –le explicó Abel impaciente.

– Abel, Miki... voy a La Calaca Alegre. Voy con Uds. o voy solo...pero voy. Necesito ir. Necesito ver por mis propios ojos. Como dice abuela, *«Ver para creer»* –les explicó Carlos sonriendo.

Abel le echó a Micaela una mirada de frustración y miró a Carlos a los ojos.

– Carlos –empezó–, no vas a ir solo. Miki y yo no queremos ir pero no puedes ir solo...Así que vamos a acompañarte.

Micaela lo agarró del brazo, lo miró a los ojos, y le

dijo:

– Cuando Abelardo y yo digamos que es hora de irnos, nos vamos. ¿Comprendes? Si vemos o escuchamos algo que nos asuste, nos vamos y tú vas a venir con nosotros y regresaremos a la casa. ¿Comprendes?

– Sí –le dijo Carlos sin entusiasmo–. Comprendo. Cuando Uds. quieran irse, nos vamos.

Los tres salieron silenciosamente por la puerta de atrás y caminaron las dos millas al restaurante en silencio. Cruzaron la calle detrás del restaurante y se acercaron a la puerta. Abel miró por la ventana en el centro de la puerta y vio una cocina grande y moderna. Había muchos aparatos eléctricos y cientos de platos grandes, medianos y pequeños. Vio el refrigerador con un montón de comida fresca pero no vio nada raro. Todo parecía normal.

Micaela se acercó a las ventanas grandes del comedor público. Eran ventanas enormes y con las luces de emergencia en el restaurante, podía ver bien todas las mesas y el interior del restaurante también. No vio nada raro tampoco. En el comedor como en la cocina, todo parecía normal.

Carlos fue a un lado del restaurante y miró por una ventana con cortinas viejas. Vio una oficina grande y elegante. La oficina estaba ordenada y había papeles y

libros por todas partes. Estaba decorado con pinturas finas de artistas mexicanos. Carlos reconoció algunas pinturas porque había visto copias en la tienda del museo cuando fue al trabajo con Abel.

Estaba concentrado en unos libros de cocina cuando vio a una mujer. Ella entró en la oficina e inmediatamente miró hacia la ventana. Carlos abrió la boca para hablar pero no le salió ningún sonido. Su madre... La había sentido a su lado muchas veces, la había visto en las pesadillas, pero aquí estaba en el restaurante. Por fin la había encontrado.

Ella lo miró con una cara triste y una expresión de

preocupación. Carlos dio un paso[1] para atrás y se cayó. Se golpeó la cabeza contra una roca y quedó inconsciente en el suelo.

Abel escuchó un sonido raro y corrió hacia Carlos. Lo agarró cuando lo vio.

– ¿Qué pasó primo? ¿Cómo te caíste? ¿Estás bien?

Un grito se le escapó de la boca «MAMÁ» e inmediatamente trató de levantarse.

– Abel, Carlos ¿Qué pasa? –susurró Micaela preocupada acercándoseles.

– No sé. Carlos se asustó –le respondió Abelardo levantando la cabeza de su primo.

Abel vio sangre. Mucha sangre. Carlos se había cortado la cabeza cuando se cayó. Tenía los ojos muy abiertos y trataba de levantarse. Estaba muy agitado.

[1]*dio un paso - stepped*

Carlos agarró la camisa de Abel y lo miró a los ojos.

– Abel –le susurró frenéticamente–, la vi. Vi a mi mamá. Estaba en la oficina.

– Carlos –le respondió tratando de calmarlo–, te pegaste en la cabeza. Tienes una herida seria. Creo que necesitas unas puntadas[2] en la cabeza.

– La vi, Abel. La vi. Está en el restaurante.

– Primo, creo que estás confundido. Quizás viste una visión porque tienes una conmoción cerebral.

– Sí, Carlos. Es imposible que vieras a tu mamá –le dijo Micaela.

– ¡LA VI! –les gritó Carlos, frustrado–. Estaba mirando por la ventana de la oficina cuando una mujer entró. Me asusté. Di un paso hacia atrás y ella desapareció. Antes de desaparecer, la vi bien. Era mi mamá. Llevaba el mismo vestido negro que tenía puesto cuando desapareció. Mi mamá está allí. Está en La Calaca Alegre.

Abelardo y Micaela se miraron con curiosidad. Abel se levantó y se acercó a la ventana de la oficina. No vio a nadie.

– Primo –le dijo Micaela tocándole el brazo–, creo que estabas asustado. Creo que lo que

[2]*puntadas - stitches*

viste fue una alucinación. Tu mamá no está en la oficina del restaurante. Vamos a la casa para que mamá pueda ver esta herida y decida si necesitas ir al hospital.

Abel y Micaela ayudaron a Carlos en el camino a casa. Las dos millas parecieron muy largas en la condición en que estaba. Micaela trataba de limpiarle la sangre que le salía de la herida. Ella estaba muy preocupada. Carlos necesitaba puntadas pronto. Tenían que confesarles a sus padres la aventura. Raimundo y Carolina no iban a estar felices. No iban a estar nada felices.

Capítulo 8
Consecuencias

Regresaron del hospital a las 7 de la mañana y todos se acostaron. Carlos tenía una conmoción cerebral[1] y necesitó once puntadas para cerrar la herida. Estaba exhausto. Entre los eventos de la noche anterior y las medicinas para el dolor, inmediatamente se durmió.

– ¿Carlos?

Carlos miró por todos lados. Estaba fuera del restaurante otra vez. Vio la frutería y la ventana de la oficina. Miró por la ventana e inmediatamente vio a su madre. Ella se veía triste.

– Estoy tratando de encontrarte –le dijo tocando la ventana con las dos manos–. ¿Estoy soñando? ¿Estás viva?

Su madre estaba llorando. Ella simplemente le dijo:

– Cuidado, mijo. Es peligroso.

Su mamá se dio la vuelta y salió. Carlos le gritó:

– Nooooo mamá, ¡Espera! ¡No te vayas! –y se despertó y rápidamente se sentó en la cama.

– Ayyyyyyy...–murmuró agarrándose la cabeza.

[1] *conmoción cerebral - concussion*

Cuando soñaba con su madre, siempre soñaba con la noche en que ella había desaparecido pero este sueño fue diferente. Ocurrió en el presente. Ella estaba hablando con él. *«¿Fue un sueño?»,* se preguntó. *«¿O ella realmente me visitó?»*

Carlos estaba agitado. *«Tengo que ir al restaurante. Necesito verla. Necesito buscarla»,* pensó levantándose. Entre más lo pensaba, más creía que ella realmente lo había visitado. Se levantó diciéndose: *«Quizás el Tío Raimundo vaya conmigo y podamos buscarla.»*

Cuando entró en la cocina, su tía estaba preparando el almuerzo. Como siempre, ella se ponía a cocinar cuando estaba nerviosa. Se calmaba cuando preparaba algo en la cocina así que era normal encontrarla ahí.

– Carlos –gritó ella abrazándolo–, nos asustaste, hijo. No comprendo por qué Uds. pensaron que era buena idea ir a ese restaurante en medio de la noche.

– Tía, la idea fue mía. No estés enojada con Abel y Miki. Fueron para protegerme.

– Mijo, no hay excusa.

Ella fue al refrigerador y empezó a cocinar otra vez. Carlos comprendió que ella no quería hablar más. Cuando Abel y Micaela entraron en la cocina, despertados por el olor del almuerzo, ella no les habló a ellos

tampoco. Estaba muy enojada.

La familia comió en silencio. Raimundo los miró con una expresión de disgusto. Era un hombre que siempre quería orden y obediencia en su casa y normalmente sus hijos no le causaban problemas. No sabía qué decir, así que la familia se sentó en silencio.

–Tío –empezó Carlos–, creo que mi mamá está en el restaurante. La vi anoche en la oficina antes de caerme y me visitó en un sueño esta mañana. ¿Podemos regresar a La Calaca Alegre?

La cara de Raimundo se puso roja de rabia y se agarró a la mesa antes de hablar furioso:

– Carlos, no quiero escuchar más de estas locuras. Afortunadamente sólo tienes puntadas. Tu mamá fue al restaurante y no regresó. Creo que la psicóloga tiene razón. Estás loco. Estás completamente loco si piensas por un momento que vamos a regresar a ese restaurante.

Raimundo se levantó y limpió la mesa antes de ir a la sala para ver la tele. Carlos estaba frustrado. Su familia no le creía. Ellos pensaban que su mamá era una alucinación. Creían que la había imaginado tras pegarse en la cabeza, pero él sabía que era real. La vio en el restaurante y ella lo visitó en su sueño. Sabía que estaba en el restaurante y que necesitaba ir a buscarla. Si ellos no querían ir, él iría solo. Esperaría hasta que ellos estuvieran dormidos e iría a La Calaca Alegre solo.

Capítulo 9
Determinación

Frustrado y enojado, Carlos pasó el día en su dormitorio durmiendo y leyendo los documentos que tenía en su archivo. Tenía los testimonios de los empleados de La Calaca Alegre, los testimonios de Raimundo y Carolina y el reporte del detective Roberts, el detective que investigó la desaparición. No vio nada que le llamara la atención. ¿Por qué estaba Angélica en el restaurante? ¿Era real? ¿Era un fantasma? No sabía que pensar.

– ¿Necesitas algo, mijo? –le preguntó Carolina entrando en el dormitorio a las diez de la noche–. ¿Cómo está la cabeza?

– Me siento bien, tía. Me duele un poco pero no mucho –le dijo sonriendo–. No necesito nada. Creo que voy a dormir bien esta noche.

– Si necesitas algo, Raimundo y yo estamos al otro lado del pasillo –le respondió dándole un beso en la cabeza.

Carolina salió cerrando la puerta y Carlos empezó a planear. Iba a esperar una hora y después iba a salir por la puerta de atrás. Iba a caminar al restaurante y tratar de encontrar una ventana abierta. Quería entrar cuando nadie estuviera en el restaurante. Quería ver a su mamá cara a cara.

La hora pasó lentamente. Carlos caminaba en círculos en el pequeño dormitorio, preocupado. Tenía miedo. Realmente no quería ir solo pero sabía que Raimundo no iría y ya les había causado problemas a Abel y Miki. Tenía que ir solo. Peligroso o no, tenía que ir a buscar a su mamá.

Carlos se sentó en la cama. *«Una vez más»,* pensó, levantando el archivo, su única conexión al misterio de

su madre. Empezó a leer y en un momento se quedó dormido.

No se despertó sino hasta las 3 de la mañana. Había querido ir al restaurante y regresar antes de que la familia se despertara. Había querido salir a la medianoche. Ahora solo tenía tres horas antes de que se despertara su tía. Se levantó rápidamente y agarró su navaja[1]. Se la metió en el bolsillo y salió del dormitorio silenciosamente. Entró al pasillo y escuchó atentamente para asegurarse de que todos estuvieran dormidos. Cuando se aseguró, salió de la casa y empezó a caminar hacia La Calaca Alegre. Caminaba en silencio pensando en la última noche que vio a su madre. Sonrió. Quería mucho a su madre y los pocos recuerdos que tenía de ella eran felices.

Mientras caminaba, vio un mural que le llamó la

[1]*navaja - jackknife*

atención. Abel le había dicho que era un mural del artista Jeff Zimmermann. Había una familia. En la primera sección, todos estaban preparando la cena pero en la segunda sección estaban corriendo. En la sección final, los niños estaban llorando y la policía estaba arrestando al padre.

Carlos caminaba pensando en su padre. Su madre nunca lo había mencionado, quizás porque ella estaba triste. Carlos no sabía quién era. No había visto ninguna foto de él. Ni siquiera sabía de qué color tenía el pelo. No comprendía por qué él nunca había querido conocer a su hijo. ¿Por qué no había querido ayudar a su madre cuando ella lo necesitó? ¿Qué clase de hombre no aceptaba la responsabilidad de su propio hijo?

A los pocos minutos, se encontró con el mural de Gulliver otra vez. Lo miró por unos segundos. Gulliver representaba a los inmigrantes que llegaban a los Estados Unidos y se sentían atrapados por una nueva cultura. Gulliver estaba atrapado en el mural y Carlos se sentía atrapado en una situación sin solución.

Continuó caminando por las silenciosas calles de Pilsen. El camino al restaurante era largo…30 minutos… Con el dolor de cabeza que tenía no podía correr. Estaba muy preocupado. Era imperativo que regresara a la casa antes de que se despertara su tía.

Por fin vio el restaurante. Sin las luces, sin la gente, sin Raimundo… y sin sus primos… tuvo miedo. Tenía el estomago revuelto y podía escuchar los latidos de su corazón.

Capítulo 10
La confrontación

Carlos llegó al restaurante y volvió a la ventana de la oficina. No vio nada. Quizás la había imaginado... Quizás estaba loco por haber regresado sólo al restaurante. Estaba a punto de salir cuando vio algo en un rincón de la oficina. ¿Era ella? Frenéticamente empezó a buscar una manera de entrar al restaurante. Todas las ventanas y puertas estaban cerradas con llave. Frustrado se acercó a la puerta de atrás cuando vio un conducto conectado con un basurero azul enorme. ¿Podría entrar al restaurante por ese conducto?

Se subió al basurero y observó el conducto. Estaba sucio. Asqueroso.

Metió los brazos, la cabeza...Empezó a escalar el interior del conducto para ver adónde iba. Pronto, se encontró en la cocina del restaurante. Se quedó quieto escuchando por si hubiera alguien en el restaurante. No oyó ni vio a nadie. No escuchó ni un sonido. Estaba completamente solo.

Pasó por la cocina y entró al comedor público. Durante el día, cada mesa estaba ocupada y había música y conversaciones por todas partes. Esta noche el silencio era como una tumba. Carlos escuchó el latido de su corazón y tuvo miedo de encontrar más que a su madre aquí.

Mientras estaba inspeccionando el comedor, escuchó algo. No se movió. Escuchó en el silencio. De repente, unas grandes manos lo agarraron por detrás. Carlos gritó:

– ¡Uyyyyyy! –tratando de escaparse.

– ¿Qué haces aquí? ¿Qué quieres? –dijo una voz, que le dio escalofrío.

– Te...tenía hambre. Buscaba comida –mintió Carlos.

El hombre no le creyó.

– No me mientas, muchacho. Te reconozco. Tú viniste al restaurante y me preguntaste por el comedor privado. ¿Por qué estás aquí?

– Busco a mi ma...–le respondió Carlos metiendo la pata[1]–. Busco a mi amigo. Estaba con él, pero él desapareció. Pensé que había entrado en su restaurante.

– Tu amigo no está aquí, muchacho, y tú tampoco debes estar aquí. Sería una tragedia si tú desaparecieras también –le dijo con una expresión fría.

Carlos temblaba de miedo. *«¿Era una amenaza[2]?»*, se preguntó. Era obvio que el hombre no le creyó y Carlos respiró profundamente tratando de calmarse. Trató de hablarle al hombre tranquilamente:

– Lo siento, señor. No debía haber entrado[3] a su restaurante. Fue un error.

– Sí, fue un grave error. ¡Fue un error fatal! –le dijo con voz amenazante mientras agarraba a Carlos violentamente.

Carlos reaccionó con pánico y empujó al hombre con todas sus fuerzas.El hombre dio un paso hacia atrás y chocó fuertemente con una de las mesas. Cayó con fuerza y se golpeó la cabeza en una mesa. Carlos se echó a correr por el pasillo para escapar del hombre loco que había quedado inmóvil en frente de la salida.

[1]*metiendo la pata - putting his foot in his mouth*
[2]*amenaza - threat*
[3]*no debía haber entrado - should not have entered*

«¡Lo maté!», pensó Carlos asustado y corrió al pasillo para buscar un escape. Corrió frente a la puerta abierta de la oficina y pensó en romper la ventana, pero el hombre ya venía corriendo. Sin encontrar una salida hacia afuera, Carlos seguía metiéndose más y más en peligro.

Entró al baño y trató de cerrar la puerta, pero el hombre que estaba a su espalda, la bloqueó con el brazo. Carlos la empujó con todas sus fuerzas y trató de bloquearla. La cerradura era vieja y no funcionaba. Carlos se quedó con el hombro pegado a la puerta, completamente desesperado. De repente vio una cerradura[4] nueva, una barra de metal, y la movió en posición. Se dio la vuelta y buscó un escape! Inspeccionó cada centímetro del baño y vio una pequeña ventana, pero era muy pequeña y quedaba muy arriba de la pared. Carlos realmente no creyó que pudiera escapar por ahí, pero tenía que tratar. Escaló el radiador en la esquina del baño para abrir la ventana. A duras penas[5] la abrió, pero no podía elevarse lo suficiente para pasar por ella. Se bajó del radiador, dejando la ventana abierta y temblando de miedo. ¡Estaba atrapado!

[4] *una cerradura - a lock*

[5] *a duras penas - with great effort*

Capítulo 11
¡Atrapado!

Una brisa fría pasó por la ventana del baño y le dio un escalofrío a Carlos. Temblando en un estado de pánico, Carlos empezó a hiperventilar. ¡Tenía que escaparse, pero ¿cómo? En la otra esquina del baño, vio un conducto del aire acondicionado. Era pequeño pero no tan pequeño como la ventana. Sin más remedio, Carlos abrió el conducto y entró con los pies por delante para poder cerrar la puertita del conducto después de entrar.

A duras penas se movió como una serpiente, hasta que todo su cuerpo estuvo dentro del conducto y luego, cerró la puerta lo más silenciosamente posible.

Cuando la cerró, empezó a moverse horizontalmente por el túnel negro. Siguió moviéndose poco a poco y pronto se encontró con una sección del túnel que era vertical. Entró por el túnel vertical y empezó a subirlo con gran dificultad. Carlos no podía subirse ni fácil ni rápidamente. Presionó las manos y los pies contra las paredes del conducto con todas sus fuerzas y subió a duras penas. De repente, Carlos escuchó que la puerta del baño se abría violentamente y juntó todas sus fuerzas para escaparse del hombre loco.

Temblando de fatiga y de miedo, Carlos se encontró con el final del conducto. Hizo una pausa antes de abrir la puertita para escuchar cualquier sonido que indicara la presencia del hombre loco. Escuchó cuidadosamente, pero no oyó nada. Carlos estaba confundido. *«¿Por qué había reaccionado tan violentamente el hombre? ¿Por qué me amenazó y no llamó a la policia?»*, se preguntó. *«¡Él es un psicópata!»*, pensó Carlos, escuchando atentamente si el hombre estaba todavía presente.

Cuidadosamente, Carlos abrió la puertita del conducto y se encontró con un desván[1]. Miró por el desván, nervioso de que el hombre estuviera esperándolo allí. Con los brazos temblándole de fatiga, Carlos a duras penas, subió su cuerpo por la puertita y se sentó en el piso del desván. No se movió, se quedó sentado en el piso, escuchando atentamente, por si el hombre se acercaba. Era cuestión de tiempo, ya que el hombre vendría a buscarlo. No oyó nada, así que Carlos se levantó rápidamente y cerró la puertita del conducto.

«¡Tengo que escaparme de aquí!», pensó con pánico. Vio una salida del desván y corrió hacia ella, sabiendo que no era sensato abrir la puerta sin localizar al hombre loco primero. Carlos escuchó cuidadosamente, y cuando no oyó nada, abrió la puerta un poquito para ver lo que había al otro lado de la puerta. Vio una escalera y al pie de la escalera, vio al hombre loco. El corazón de Carlos se aceleró y cerró la puerta del desván rápidamente. Miró por el desván para buscar un

[1] *desván - attic*

sitio en donde esconderse.

Había muchas cajas, algunas grandes y otras más pequeñas. Carlos abrió una caja grande para esconderse, pero había muchas cosas en esa caja. Buscó otra en donde esconderse, pero todas las cajas tenían demasiadas cosas. Carlos miró rápidamente por el desván. En la esquina había una mesa circular con dos sillas a cada lado. Había dos copas de vino en la mesa. Cerca de la mesa, había un congelador[2]. Carlos estaba en estado de pánico, así que no pensó en que era raro que hubiera una mesa para dos y un congelador en un desván.

Miró el congelador y corrió entre un montón de cajas hacia el, pensando que sería un sitio

[2]*congelador - freezer*

perfecto para esconderse. «*Nunca me buscaría en un congelador*», pensó. Abrió la tapa, pero inmediatamente

la dejó caer al ver el contenido: Había una bolsa que ocupaba casi todo el congelador. Era enorme, de plástico negro y encima, había unos zapatos de mujer. Carlos se asustó al verlos, pero pensó racionalmente: «*Es probable que la bolsa contenga comida para el restaurante y los zapatos estén allí por una razón lógica*». Entonces, abrió la tapa de nuevo y agarró los zapatos para examinar la gran bolsa, pero mientras los sacaba del congelador, algo se cayó al piso. Carlos lo miró y lo agarró para examinarlo. Era un collar, tenía una cruz con una esmeralda y atrás tenía las letras A.F. El collar era el que Carlos le había dado a su madre unos meses antes de su desaparición. ¡Era el collar que llevaba su madre la noche en que ella desapareció!

En ese momento, todo pareció irreal y Carlos tuvo la sensación de que estaba atrapado en una de sus pesadillas. «*¿Esto era otra alucinación o era realidad?*».

Capítulo 12
El desaparecido

A las cuatro, Carolina se despertó preocupada por la condición de Carlos. Se levantó y fue a su dormitorio. Había tomado su medicina antes de dormirse pero ella no podía dejar de pensar en la conmoción cerebral de su sobrino. Esperaba que él hubiera podido dormir.

Cuando abrió la puerta, vio que Carlos no estaba en

la cama. ¿Dónde estaba? ¿Se había ido a dormir al sofá? Fue rápidamente a la sala pero no lo encontró allí tampoco. Estaba preocupadísima. Lo buscó por toda la casa pero Carlos no estaba. Estaba tomando medicinas muy fuertes, quizás se había levantado confundido y había salido de la casa.

Carolina lo buscó fuera de la casa pero no lo vio por ningún lado tampoco. Regresó al dormitorio buscando algo, no sabía qué. Inmediatamente vio el archivo en el suelo y se tapó[1] la boca:

– Raimundo, –le gritó a su esposo–, ¡Carlos no está en el dormitorio! ¡No está en la casa!

Raimundo y sus hijos entraron al dormitorio corriendo.

– Llama al 9-1-1, Raimundo –gritó ella agarrando el archivo–. ¿Crees que haya regresado al restaurante?

Inmediatamente Raimundo se enojó.

– ¡No me escuchó! Le dije que no regresara al restaurante y se fue –exclamó agarrando su teléfono celular para llamar al 9-1-1.

«9-1-1 emergencia. Mi sobrino ha desaparecido», dijo Raimundo a la operadora mientras caminaba en círculos en el dormitorio. Estaba furioso con Carlos.

[1]*se tapó - she covered*

¿Dónde estaba? ¿Por qué no podía aceptar que Angélica estaba muerta? ¿Por qué quería ir a La Calaca Alegre una y otra vez? *«¡Rápido, por favor»!,* dijo Raimundo a la operadora de 9-1-1. *«Creo que mi sobrino se ha metido en un lío grande. Creo que está en peligro».* Raimundo terminó la llamada y miró a Carolina.

– No puedo esperar aquí. Voy al restaurante. Cuando lleguen los detectives, cuéntales todo lo que sabes de su desaparición.

– Por favor, Raimundo...Quédate con nosotros. Espera a la policía. Ellos pueden ir al restaurante y buscar a Carlos –le dijo Carolina inconsolable.

Raimundo abrazó a su esposa y la consoló:

– No te preocupes. Vamos a encontrarlo. Regresaré con Carlos, te lo prometo.

Capítulo 13
Doble Problema

Carlos temblaba mientras trataba de distinguir la alucinación de la realidad. Examinó el collar, tocándolo y dejándolo pasar por sus dedos. *«¿El collar era una realidad o una alucinación? ¿Realmente se había vuelto loco?»*. De repente, Carlos escuchó al hombre subiendo la escalera y regresó a la realidad. Rápidamente, metió el collar en su bolsillo y saltó detrás de unas cajas para esconderse. La puerta del desván se abrió de repente y Carlos estaba temblando de miedo. Su corazón palpitaba tan erráticamente que tuvo miedo de que el hombre lo oyera.

El hombre entró al desván y le habló a Carlos, acercándose mientras hablaba. *«Lo siento, mijo. No fue mi intención asustarte. No pasa nada. Ya entiendo tus motivos para entrar a mi restaurante. Puedes salir sin problemas»*. Carlos se quedó escondido, temblando de miedo. «Carlos, no tengas miedo», le dijo el hombre con un tono amenazador. Su voz le puso los pelos de punta[1].

[1]*pelos de punta - hairs standing on end*

«¿Cómo sabe mi nombre?», se preguntó Carlos. Le entró pánico y estuvo a punto de salir corriendo para escaparse cuando ¡PUM!, hubo un sonido fuerte abajo en el restaurante. El hombre exclamó en voz baja: *«¡Qué diablos fue eso!»* y salió corriendo hacia la escalera.

Abajo, Raimundo había llegado a La Calaca Alegre buscando a su sobrino. Como no pudo abrir la puerta, Raimundo rompió una ventana con un fuerte golpe. ¡PUM! Estaba entrando en la oficina del restaurante por la ventana rota, cuando el hombre loco llegó corriendo

para ver que había sido el sonido. El hombre se acercó a Raimundo y ¡lo agarró violentamente!

– ¿Qué diablos crees que estás haciendo? –le gritó el hombre furioso.

– Lo siento, señor. Busco a mi sobrino, Carlos Frago. Él no está bien, sufre de problemas psicológicos y pensamos que él pudiera estar aquí.

– ¿Y por qué estaría su sobrino loco aquí en mi restaurante? –le preguntó el hombre sarcásticamente.

– Porque él piensa que va a encontrar respuestas aquí.

– ¿Respuestas a qué?

– Aaa...mmm...Respuestas...a su locura.

– Señor, en este momento, me parece loco usted mismo. Su sobrino no está aquí y ahora no tengo otro remedio que resolver esta situación que ha creado Ud. –le dijo con voz amenazadora.

Carlos, que se había bajado silenciosamente del desván, escuchaba desde el pasillo y temblaba de miedo. ¡Se había metido en un grave lío!

Capítulo 14
Una invitación fatal

Carlos escuchaba la conversación entre su tío y el hombre loco y se sentía responsable del lío en que había metido a su tío. ¡Lo había metido en un grave predicamento y estaba muy decidido a salvarlo y corregir la situación! Ya estaba seguro de que el hombre era responsable de la desaparición de su madre y que era una persona peligrosa.

– Siento lo de la ventana. La voy a pagar. ¿Cuánto quiere? –le dijo Raimundo tratando de calmar al hombre.

– Ud. va a pagar, va a pagar mucho más de lo que se puede imaginar –le respondió con voz amenazadora.

Carlos decidió tomar acción. Quería escaparse del restaurante pero no podía dejar a su tío en las manos de un psicópata. Metió la mano en su bolsillo y sacó su navaja. Trató de abrirla, pero las manos le temblaban tanto que no podía. Entonces, la navaja se le cayó de las manos y chocó con el piso con un sonido metálico. Carlos se quedó paralizado de miedo. Los dos hombres entraron al pasillo para investigar y allí en el piso no sólo estaba la navaja, sino el collar también.

¡El collar se había caído cuando Carlos se sacó la navaja del bolsillo. El hombre miró el collar y sonrió fríamente.

– Parece que ya encontraste lo que buscabas aquí, mijo. Por fin, encontraste el comedor privado. ¿Qué te pareció? ¿Te gustó? –le preguntó cruelmente.

Carlos miró a Raimundo con ojos de pánico los cuales le comunicaron la gravedad de la situación. En ese momento, el hombre sacó una pistola y la apuntó hacia ellos diciéndoles:

– Ahora, no tengo otro remedio más que invitarlos al comedor privado –les dijo el hombre con voz amenazante.

Este comentario le puso los pelos de punta a Carlos. *«Invitarlos al comedor privado»,* pensó Carlos recordando la invitación que había recibido su madre hacía diez años. *«Es más 'el comedor fatal'»*, pensó Carlos.

– ¡Muévanse ya! Vamos a subir al comedor privado –les ordenó riéndose cruelmente.

Temblando de miedo, el tío y el sobrino empezaron

a subir por la escalera al 'comedor privado.' Raimundo hizo una breve pausa y al instante sintió una pistola contra su cabeza. Empezó a subir nuevamente. De repente, la puerta del restaurante se abrió con fuerza y entraron tres policías gritando frenéticamente: *«¡Somos la policía! ¡Salgan con las manos en alto!»*. Asustado, el hombre se dio la vuelta para ver el caos y al instante,Raimundo aprovechó la oportunidad para atacar. Empujó al hombre con toda su fuerza gritando: *«¡Cuidado! ¡Tiene una pistola!»*. Con la fuerza del empujón, el hombre se cayó por las escaleras y luego...se oyó un fuerte disparo[1].

Carlos se dio la vuelta y vio al hombre caído al pie de la escalera. Y es probable que la imagen que Carlos vio luego, se quedaría con él para siempre: Vio a su tío...caído al pie de la escalera...con sangre corriéndole por el abdomen.

[1] *un fuerte disparo - a loud shot*

Capítulo 15
Paz

Carlos, que había regresado a la casa de su abuela, entró a la oficina de la Dra. Smith. Su abuela había insistido en que él continuara sus sesiones con la psicóloga. Carlos se sentó en una de las sillas grandes mientras la psicóloga leía las notas en su archivo.

– Hola, Carlos. ¿Cómo te sientes?

Carlos sonrió y le respondió:

– Bien.

– Pues, mucho te ha pasado desde tu última visita –le dijo la doctora esperando una explicación de Carlos.

Pero Carlos se sentó en silencio, pensando en todo lo que le había pasado y se le pusieron los pelos de punta. La policía había inspeccionado el restaurante y encontró mucha evidencia del homicidio de su madre y la policía encontró un motivo: ¡dinero! La madre de Carlos había insistido en que su padre, el dueño de la Calaca Alegre, asumiera la responsabilidad financiera por su hijo y lo amenazó con una demanda legal. Su padre decidió eliminar la amenaza.

– ¿Cómo te sientes sabiendo que Diego Guzmán es tu padre? –le preguntó la doctora observando a Carlos atentamente.

– Me siento bien al saber la verdad, pero es un poco difícil aceptar que mi padre es un asesino. Es difícil aceptar que mató a mi madre porque no me quería a mí. No sólo mató a mi madre, sino[1] quería matarme a mí también. Quería matar a su propio hijo.

[1]*sino - but*

Los dos se sentaron en silencio unos minutos y la doctora le respondió con sinceridad:

– Tu padre realmente es un psicópata, no puede sentir ni amor ni empatía.

– ¿Cómo pudo relacionarse mi madre con un hombre tan malo?

– Pues, es posible que no fuera un psicópata cuando tu madre se relacionó con él –le respondió la doctora con voz cariñosa–. Todavía necesitas tiempo para resolver todas tus emociones.

– Realmente estoy bien. Ya no tengo sensaciones raras y ya no me visita mi madre –le respondió Carlos.

– ¿Y tu tío, Raimundo? ¿Se ha recuperado?

– ¡Sí! Por suerte, se ha recuperado completamente. El disparo no le dio en ningún órgano. Tuvo mucha suerte.

– Me alegro mucho –le respondió la doctora sinceramente–. ¿Y las pesadillas?

– He soñado con mi madre, pero ya no son pesadillas. Ahora mis sueños son felices.

– No sabes cómo me da gusto escucharlo, Carlos. ¿Y las alucinaciones desaparecieron sin ninguna medicina?

– La pintura ha sido mi medicina –le respondió Carlos con una sonrisa–. Pinté un mural de mi vida.

– ¡Qué interesante! ¿Cómo es la pintura?

– En un mural; estoy en la cama soñando con todas las cosas que me pasaron cuando mi madre desapareció: vivir con mis abuelos, las pesadillas, la sensación rara, todo lo que pasó en la Calaca Alegre y la revelación de quién es mi padre.

– ¿Podría verlo?

Carlos se rió y le respondió:

– Sí, puede Doctora, pero tendría que viajar a Chicago para verlo. Lo pinté en un edificio cerca del Museo Nacional de Arte Mexicano.

– ¡¿Lo pintaste en un edificio en Chicago?!

– Sí. Mi primo, que trabaja en el museo, le llevó una de mis pinturas al director del museo y él me contrató para pintar esa pintura como un gran mural en un edificio cerca del museo.

– ¿Y crees que pintar el mural te ayudó a recuperarte?

– Pues...–empezó Carlos–, creo que la pintura me ha ayudado a dejar el pasado y mirar al futuro con optimismo. Pero más creo que el en-

contrar a mi madre y ayudarla a descansar en paz es lo que realmente me ha ayudado a recuperarme.

La doctora había evaluado el caso de Carlos Frago muchas veces, pero hoy lo evaluaba con una nueva perspectiva. Carlos había sufrido de pesadillas y alucinaciones durante diez años. La terapia artística lo había ayudado con los nervios, pero nunca lo había ayudado con las alucinaciones ni con las pesadillas... Sólo el encontrar a su madre y su funeral apropiado se las habían eliminado. ¿Quizás no eran alucinaciones ni pesadillas? ¿Quizás su madre realmente lo había visitado?

Glosario

a - at, to
abajo - down, below
abierta(os) - open
abría - s/he opened, was opening
abrazó - s/he hugged
(se) abrazaron - they hugged (each other)
abrazándolo(la) - hugging him (her)
abrió - s/he opened
que abriera - that s/he open
abrir - to open
abrirla - to open it
abue - granny
abuela - grandmother
(se) acercó - s/he approached
(se) acercaba - s/he approached, was approaching
(se) acercaban - they approached, were approaching
(se) acercaron - they approached
acercándose - approaching
acercándoseles- approaching them
acostaron - they went to bed
adiós - goodbye
adónde - where (to)?
afuera - outside
agarró - s/he grabbed
agarraba - s/he grabbed, was grabbing
(lo tenía) agarrado - had grabbed him
agarrando - grabbing
agarrándose - grabbing oneself
agarraron - they grabbed
agarrándole - grabbing him
agarrándolo - grabbing it
agitó - s/he stirred, shook up
agitado - agitated, excited
agua - water
ahí - there
ahora - now
al - to the, at the
alegre - happy
(me) alegro - I'm happy
algo - something
alguien - someone
alguno(a) - some, any
aliento - breath
allá - there
allí - here

almuerzo - lunch
alto - tall, high
amaba - s/he loved
amenazó - s/he threatened
(una) amenaza - a threat
amenazado - threatened
amenazador - threatening
amenazante - threatening
amigo - friend
amor - love
anoche - last night
anterior - previous
antes - before
años - years
aparatos - devices
aprender - to learn
aprovechó - s/he took advantage of
apuntó - s/he pointed
aquí - here
archivo - file
arriba - up, above
arroz - rice
así - like this/that
aseguró - s/he assured
asegurarse - to assure oneself
asqueroso - gross
(me) asusté - I got scared
(se) asustó - s/he got scared
asustado - scared
asustarnos - to scare us
(se) asustaron - they got scared
asustarte - to scare you
asustaste - you scared
(que) se asuste - (that) you get scared
atrás - behind
aumento - raise
aún - although
ayudó - s/he helped
ayuda - s/he helps
ayudado - helped
ayudar - to help
ayudaría - s/he would help
ayudarla - to help her
ayudaron - they helped
ayudarte - to help you
(que) te ayude - that s/he help you
azul - blue
bajó - s/he descended, went down, lowered
baja - s/he descends, goes down, lowers
bajado - descended, lowered, went down
baño - bathroom
basurero - dumpster
beber - to drink

bebida - drink
besó - s/he kissed
besándola - kissing her
beso - kiss
bien - well, ok
boca - mouth
bolsa - purse
bolsillo - pocket
bolso - bag
boquiabierta - open mouthed, agape
brazo - arm
breve - brief
brisa - breeze
bueno - good
buscó - s/he looked for
buscaba - s/he looked for, was looking for
buscabas - you looked for, were looking for
buscado - looked for
buscando - looking for
buscar - to look for
buscaría - s/he would look for
buscarlo(la) - to look for him (her)
buscas - you look for
buscándola - looking for her
busco - I look for
(que) busques - (that) you look for
cabeza - head
cada - each
(había) caído - (had) fallen
caer - to fall
(antes de) caerme - (before) I fall down
caja - box
calaca - skull or skeleton figures used to decorate for Day of the Dead
calle - street
cama - bed
caminó - s/he walked
caminaba - s/he walked, was walking
caminaban - they walked, were walking
caminando - walking
caminar - to walk
caminaron - they walked
camino - I walk
camisa - shirt
cansado - tired
cara - face
cariño - darling
casa - house
casi - almost
caíste - you fell

cayó - s/he fell
cena - dinner
cenar - to have dinner
cenaron - they had dinner
(frunció el) ceño - s/he frowned
cerca (de) - close to, near
(conmoción) cerebral - concussion
cerró - s/he closed
cerradas - closed
cerradura - latch
cerrando - closing
cerrar - to close
chica - girl
chicanos - people of Mexican-American descent
chicos - boys
chiste - joke
chocó - s/he ran into, crashed into
cientos - hundreds
cinco - five
cita - appointment
ciudad - city
cómo - how
cómodas - comfortable
cocina - kitchen
cocinaba - s/he cooked, was cooking
cocinar - to cook
collar - necklace
comían - they ate, were eating
comedor - dining room
comentario - comment
comer - to eat
comió - s/he ate
comida - food
comiendo - eating
como - like, as
comprarle - to buy him
comprarles - to buy them
comprendía - s/he understood, was understanding
comprendes - you understand
comprendió - s/he understood
comprendo - I understand
con - with
conducían - they drove, were driving
conducer - to drive
conducto - duct
confundido - confused
congelador - freezer
conmigo - with me
conocer - to know
(había) conocido - (she had) known
consejos - advice
consultorio - clinic

(que) contenga - (that) it contain
contenido - contents
contestando - answering
contigo - with you
contra - against
contrató - s/he contracted, hired
corazón - heart
corregir - to correct
correr - to run
corrió - s/he ran
(había) corridor - (had) run
corriendo - running
corriéndole - running from him
(había) cortado - (had) cut
cortinas - curtains
corto - short
cosas - things
creía - s/he believed, thought
creado - created
creían - they believed, thought
cree - s/he believes, thinks
creen - they believe, think
creer - to believe, think
creerlo - to believe it
crees - you believe, think
creo - I believe, think
creyó - s/he believed, thought
cruelmente - cruelly
cruz - cross
cruzaron - they crossed
cuáles - which
cualquier - whichever
cuando - when
cuatro - four
(necesitas darte) cuenta - you need to realize
cuerpo - body
cuidaba - s/he cared for, was caring for
(ten) cuidado - be careful
cuidadosamente - carefully
cuidar - to care for
cuidarme - to care for me
culpable - guilty
cumpleaños - birthday
cuéntales - tell them
cuántas - how many
cuánto - how much
da - s/he gives
(le había) dado - s/he had given him
dándole - giving him
dándose (la vuelta) - turning around
dar - to give
darte - to give you
de - of, from

debía - s/he should, ought to
debes - you should
decía - s/he said, was saying
decir - to say, tell
dedos - fingers
dejó atrás - s/he left behind
dejó caer - s/he let it fall
dejó de - s/he stopped
deja - s/he let, left
dejaba - it left
dejaban - they left, were leaving
dejando - leaving
dejar- to leave
(que) dejara - that s/he leave
(que) dejaran - that they leave
dejándole - leaving him
dejándolo - leaving it
del - from the, of the
delante - in front
delgado - thin
demasiadas - too many
dentro - within
desafortunadamente - unfortunately
(había) desayunado - (s/he) had eaten breakfast
desayuno - breakfast
descansar - to rest
descubriré - I will discover
desde - since
despertó - s/he woke up
despertaba - s/he woke up, was waking up
despertador - alarm clock
despertados - awakened
(que) despertara - (that) s/he wake up
después - after
desván - attic
detenerte - to detain you, stop you
detrás - behind
di - I gave
día - day
(Qué) diablos - What the heck?
(había) dibujado - (had) drawn
dice - s/he says, tells
dicen - they say, tell
(le había) dicho - (he had) said to him/her
diciendo - saying, telling
diciéndoles - saying to them, telling them
diciéndose - saying to himself, telling himself
diez - ten
digamos - we say
dije - I said, told

(que) dijera - (that) s/he say
dijo - s/he said, told
dinero - money
dio - s/he gave
disparo - shot
dónde - where
dolor - pain
domingo - Sunday
donde - where
dormido - asleep
dormir - to sleep
dormirse - to fall asleep
dormitorio - bedroom
dos - two
ducto - duct
(me) duele - it hurts (me)
dueño - owner
durante - during
(a) duras (penas) - with difficulty
durmió - s/he slept
durmiendo - sleeping
e - and (used in place of y when the following word begins with i or hi)
echó a correr - s/he took off running
echó una mirada - s/he shot a glance
edificio - building
el - the
él - he
elevarse - to raise oneself up
ella - she
ellos - they
emocionado - excited
empezó - s/he started
empezar - to start, begin
empezaron - they started, began
empieza - s/he starts, begins
empleada - employee
empujó - s/he pushed
empujón - a shove
en - in
(le) encantaba - it delighted him/her, s/he loved it
(le) encantaban - they delighted him/her, s/he loved them
(le) encantan - they delight him/her, s/he loves them
encima - on top of
encontró - s/he found
(había) encontrado - (s/he had) found
encontramos - we found
encontrar - to find
encontraré - I will find

encontrarlo(la) - to find it (him/her)
encontraron - they found
encontrarte - to find you
encontraste - you found
(que) encuentres - (that) you find
enfrente - in front of
(se) enojó - s/he got mad
enojado - mad
entiendo - I understand
entonces - then
entre - between
era - s/he/it was
eran - they were
eres - you are
error - error
erráticamente - erratically
es - s/he/it is
eso(a)(ese) - that
escaló - s/he climbed
escalar - to climb
escalera - stairs
escalofriante - spooky
escalofrío - chill
esconderse - to hide
escondido - hidden
escrito - written
escritorio - desk
escuchó - s/he listened to
escucha - s/he listens to
escuchaba - s/he listened to, was listening to
escuchamos - we listen to
escuchando - listening to, hearing
escuchar - to listen to, to hear
(que) escuchara - (that) s/he listen to, that s/he hear
escucharlo - to listen to him (it), to hear him (it)
escuela - school
esmeralda - emerald
espalda - back
esperó - s/he waited for
espera - s/he waits for
esperaba - s/he waited for, was waiting for
esperando - waiting for
esperar - to wait for
esperaría - s/he would wait for
esperándolo - waiting for him(it)
espero - I hope, I wait
esposo(a) - husband, wife (spouse)
esqueleto - skeleton
esquina - corner
está - s/he/it is
este(a) - this

estaba - s/he was, it was
estaban - they were
estabas - you were
estacionó - s/he parked
estacionado - parked
estacionaron - they parked
estado - state
estamos - we are
estar - to be
estará - s/he/it will be
estaría - s/he would be
estos(as) - these
están - they are
(que) estén - (that) they are
estoy - I am
estás - you are
(que) estés - that you are
estudió - s/he studied
(que) estuviera - (that) s/he be
(que) estuvieran - (that) they be
estuvo - s/he was
experimentado - experienced
fácil - easy
fantasma - ghost
(por) favor - please
feliz(ces) - happy
fiesta - party
(por) fin - finally
(al) final - at the end
fría - cold
fríamente - coldly
franceses - French
frente - front
fresca - fresh
frijoles - beans
frunciendo (el ceño) - frowning
frutería - fruit store
fue - s/he/it went, was
fuera - outside
(si) fuera - (if) s/he/it were
fueron - they went, were
fuerte - strong, loud
fuertemente - strongly, loudly
fuerza - force
fuimos - we went, were
funcionaba - it worked, was working
ganaron - they earned, won
gente - people
(un) golpe - a hit
golpeó - s/he hit
gracias - thank you
grado - grade
gramo (de evidencia) - gram of evidence
gran - great
grande - big
granja - farm

grave - grave, serious
gravedad - seriousness, gravity
gritó - s/he yelled
gritando - yelling
(un) grito - a yell
guardan - they keep
(me/le) gusta - it pleases me/him/her, s/he/I like it
(me/le) gustaba - it was pleasing to me/him/her, s/he/I liked it
(había) gustado - (had) liked
(me/le) gustan - they please me/him/her, s/he/I like them
(me/le) gustó - it pleased me/him/her, s/he/I liked it
gustar - to be pleasing
(me da) gusto - it pleases me
ha - s/he has (done something)
había - there was, there were
había - s/he had (done something)
habían - they had
haber - to have (done something)
habló - s/he spoke, talked
hablaba - s/he talked, was talking
(había) hablado - s/he had spoken
hablamos - we talked
hablando - talking
hablar - to talk
hablarle - to talk to him/her
hablaron - they talked
habría - s/he would have (done something)
hacía - s/he made did
hace (10 años) - 10 years ago
hacer - to make, to do
hacerlo - to make it, to do it
haces - you make, do
hacia - toward
hacienda - making, doing
(tengo) hambre - (I am) hungry
has - you have (done something)
hasta - until
hay - there is, are
(que) haya - (that) s/he has
(que) hayan - (that) they have
he - I have (done something)
(una) herida - a wound
hermano(a) - brother, sister
hicimos - we made, did
hijo(a) - son, daughter
historia - story
hizo - s/he made, did

hola - hello
hombre - man
hombro - shoulder
hoy - today
(si) hubiera - (if) s/he had
hubo - there was, were
huevos - eggs
iba - s/he went, was going
iban - they went, were going
(había) ido - (s/he had) gone
ir - to go
iría - s/he would go
(voy a) irme - I'm going to go
(es hora de) irnos - it is time for us to go
irse - to leave
joven - young
juego - game
juguetona - playful
juntó (todas sus fuerzas) - s/he gathered all of his/her strength
la(s) - the
lado - side
largo - long
latido - beat
le - to/for him, her
leía - s/he read, was reading
(había) leído - (s/he had) read
leer - to read
leerlo - to read it
lentamente - slowly
les - to/for them
letrero - sign
(se) levantó - s/he got up
(había) levantado - (s/he had) gotten up
levantando - lifting up
(se) levantaron - they got up
levantarse - to get up
levantándose - getting up
leyó - s/he read
leyendo - reading
libros - books
limpió - s/he cleaned
limpiar(le) - to clean
(un) lío - trouble
llamó - s/he called
llama - s/he calls
llamaba - s/he called, was called
(que) llamara - (that) s/he call
llamaremos - we will call
(que) llame - (that) s/he call
llamándolo - calling him
llave - key
llegó - s/he arrived
llegaban - they arrived
(había) llegado - s/he had arrived

llegamos - we arrived
llegaron - they arrived
(que) lleguen - (that) they arrive
llevó - s/he took
llevaba - s/he took, was taking
(había) llevado - (s/he had) taken
llevando - taking
(que) llevara - (that) s/he take
llorando - crying
llorar - to cry
lo - it, him
localizar - to locate
loco - crazy
locura - craziness
luces - lights
lucharon - they fought
luego - later, then
mañana - tomorrow
la mañana - the morning
madre - mother
malo - bad
manera - manner, way
mano - hand
maratón - marathon
(Gulliver en el país de) maravillas - Gulliver in Wonderland
más - more
maté - I killed
mató - s/he killed
matar - to kill
matarme - to kill me
mayor - older
mayoría - majority
me - to/for me
medianoche - midnight
medianos - medium
medio - half
mejilla - cheek
mejor - better
menos - less
mes(es) - month(s)
mesa - table
mesera - waitress
(se) metan (en líos) - they get (in trouble)
(te) metas (en líos) - you get (in trouble)
(no me) meteré (en líos) - I won't get (in trouble)
se metió (en líos) - s/he got (in trouble)
(se había) metido (en líos) - (s/he had) gotten (in trouble)
metiéndose (en líos) - getting (in trouble)
mezclilla - denim

mí - me
mía - mine
miedo - fear
(no me) mientas - don't lie to me
mientras - while
mijo - my son
miles - thousands
millas - miles
mintió - s/he lied
miró - s/he looked at
miraba - s/he looked at, was looking at
mirada - glance
mirando - looking
mirar - to look at
mirarlo - to look at it
miraron - they looked
mismo - same
montón - ton
muchacho - boy
mucho - a lot
muerta - dead
muerte - death
mujer - woman
murió - s/he died
muévanse - move
muy - very
nada - nothing
nadie - no one
navaja - knife
negro - black
ni - neither, nor
ningún(una) - not any, not one
niño - child
noche - night
nombre - name
nos - to/for us
nosotros - we, us
nuevamente - again
nuevo - new
(de) nuevo - again
nunca - never
ocupada - busy
odiaba - s/he hated
ojos - eyes
once - eleven
orgullosos - proud
oyó - s/he Heard
(que lo) oyera - (that) s/he hear (him)
padre - father
pagar - to pay
pagaron - they paid
palabra - word
palpitaba - it beat
palpitándole - beating
pandillas - gangs
para - for

parecía - s/he seemed, it seemed
parece - s/he seems, it seems
pareció - s/he seemed, it seemed
parecieron - they seemed
pared - wall
parte - part
país - country
(qué) pasa - (what's) happening
pasado - past
pasillo - hallway
(un) paso - a step
(metió la) pata - put his foot in his mouth
paz - peace
pegó - s/he hit
pegado - stuck
pegarse - to hit
pegaste - you hit
peligro - danger
peligroso - dangerous
pelo - hair
pelos (de punta) - goosebumps
(a duras) penas - with difficulty
pensé - I thought
pensó - s/he thought
pensaba - s/he thought, was thinking
pensaban - they thought
pensamientos - thoughts
pensamos - we think, thought
pensando - thinking
pensar - to think
pensarlo - to think about it
pensaron - they thought
pequeño - small
perdido - lost
perdón - excuse me
perdóname - excuse me
pero - but
pesadilla - nightmare
picantes - spicy
pidieron - they ordered, asked for
pie - foot
piensa - s/he thinks
piénsalo - think about it
pintura - painting
piso - floor
(un) poco - a little
podía - s/he could
(que) podamos - that we could
podemos - we can
poder - to be able to
(había) podido - s/he had been able

podría - s/he would be able
(que) podremos - that we are able
polaco - Polish
policiaco - police
pollo - chicken
ponía - s/he put, was putting
poniéndose - putting
poquito - a little
por - for
porque - because
(el trastorno de estrés) postraumático - Post Traumatic Stress Disorder (PTSD)
pérdida - loss
preguntó - s/he asked
pregunta - s/he asks
(había) preguntado - (s/he had) asked
preguntaste - you asked
preocupó - s/he worried
preocupación - worry
preocupado - worried
preocupadísima - very worried
(no te) preocupes - don't worry
presentimiento - premonition
presionó - s/he pressed
primo(a) - cousin
primero - first
primito - little cousin
(al) principio - at the beginning
(de) prisa - in a hurry
(había) prometido - (s/he had) promised
prometo - I promise
prométeme - promise me
pronto - soon
propio - one's own
protegerme - to protect me
(que) pudiera - (that) s/he could
pudo - s/he could
(que) pueda - (that) s/he can
(que) puedas - (that) you can
puede - s/he can
pueden - they can
puedes - you can
puedo - I can
puerta - door
puertita - little door
pues - well
puesto - stand
pum - boom
(pelos de) punta - goosebumps
puntadas - stitches
punto - point
pusieron - they put

puso - s/he put
qué - what
que - that
quédate - stay
(se) quedó - s/he stayed
(se) quedaba - s/he stayed, was staying
(se había) quedado - (s/he had) stayed
quedaría - s/he would have stayed
quería - s/he wanted
querían - they wanted
(había) querido - (s/he had) wanted
queso - cheese
(que) quieran - (that) you guys want
quiere - s/he wants
quieren - they want
quieres - you want
quiero - I want
(se quedó) quieto - s/he stayed quiet
quién - who
quince - fifteen
quizás - maybe
rabia - rage
(una) razón - a reason
(tiene) razón - s/he is right
recordó - s/he remembered
recordando - remembering
(un) recuerdo - a memory
regresó - s/he returned
(había) regresado - s/he had returned
regresando - returning
regresar - to return
regresaré - I will return
(que) regresara - (that) s/he return
regresaremos - we will return
regresaron - they returned
regresas - you return
(que) regresen - (that) they return
(que) regreses - (that) you return
regreso - I return
(chiles) rellenos - stuffed (chiles)
(de) repente - suddenly
resolver - to solve
resolveré - I will solve
respiró - s/he breathed
respiraba - s/he breathed, was breathing
respiración - breathing
respirar - to breathe
respuesta - response, answer

revuelto - scrambled
(se) río - s/he laughed
rincón - corner
riéndose - laughing
río - river
roja - red
romper - to break
rompió - s/he broke
rota - broken
rápidamente - quickly
sabía - s/he knew
sabe - s/he knows
saber - to know
saberlo - to know it
sabes - you know
sabiendo - knowing
sabré - I will know
sacó - s/he took out
sacaba - s/he took out, was taking out
sala - living room
salía - s/he left, was leaving
salían - they left, were leaving
(que) salgan - (that) they leave
salió - s/he left
salida - exit
(había) salido - (s/he had) left
saliendo - leaving
salieron - they left
salir - to leave
saltó - s/he jumped
salvar - to save
salvarlo - to save him
sangre - blood
sé - I know
seguía - s/he continued
segundo - second
seguro - sure
(póliza de) seguros - insurance (policy)
semana - week
sensato - sensible
(se) sentó - s/he sat down
(se) sentía - s/he felt, was feeling
sentado - seated
(se) sentían - they felt, were feeling
(se) sentaron - they sat down
(la había) sentido - (he had) felt (her)
sentir - to feel
señor - Mr.
sería - it would be
seriedad - seriousness
sí - yes
si - if
(había) sido - (it had) been
siempre - always
(te) sientes - you feel

(me) siento - I feel
siete - seven
significado - meaning
significativo - significant
siguió - s/he continued, followed
siguiente - following
silla - chair
sin - without
sino - but (rather)
sintió - s/he felt
(que) sintiera - (that) s/he feel
(ni) siquiera - not even
soñaba - s/he dreamed, was dreaming
(había) soñado - (s/he had) dreamed
soñando - dreaming
sobre - about
sobrino - nephew
sólo - only (although the RAE now spells sólo without the accent, we have left it for comprehension purposes)
solo(a) - alone
somos - we are
son - they are
sonido - sound
sonrió - s/he smiled
sonriendo - smiling
sonriéndole - smiling at him/her
sonrisa - smile
sorprendida - surprised
soy - I am
su(s) - his, her, your (formal), their
suavemente - gently
subió - s/he went up, climbed
subieron - they went up, climbed
subiendo - going up, climbing
subir - to go up, climb
subirlo - to climb it
subirse - to go up, to get in (on)
sucio - dirty
suelo - floor
sueño - dream
suerte - luck
sumamente - extremely
susurró - whispered
suyas - his, hers, yours (formal), theirs
tal (vez) - perhaps
también - too, also
tampoco - either
tan - so
tanto - so much

tapó - s/he covered
tapa - lid
taquería - taco shop
tarde - late
tarjetas - cards
te - to/for you
tenía - s/he had
tenían - they had
tendría - s/he would have
tendremos - we will have
tenemos - we have
(que) tenga - (that) s/he have
(que) tengas - (that) you have
tengo - I have
(había) tenido - s/he had
terminaba - it ended
terminar - to end
(para) ti - (for) you
tiempo - time, weather
tienda - store
tiene - s/he has
tienen - they have
tienes - you have
tío(a) - uncle (aunt)
tocó - s/he touched
tocando - touching
tocándole - touching him
tocándolo - touching it
todo(a) - all
todavía - still
todos - everyone
toma - s/he takes
(había) tomado - s/he had taken
tomando - taking
tomar - to take
tomaron - they took
tomándole - taking him
trabaja - s/he works
trabajaba - s/he worked, was working
trabajadora - hard-working
trabajar - to work
trabajo - job, work
tras - after
trastorno (de estrés pos-traumático) - post traumatic stress disorder (PTSD)
trataba - s/he tried, was trying
(había) tratado - (s/he had) tried
tratando - trying
tratar - to try
trató - s/he tried
tres - three
triste - sad
tú - you
tu - your
(que) tuviera - (that) s/he had

tuvo - s/he had
últimos - last
un(a) - a, an
único(a) - only
usted (Ud.) - you *(formal)*
ustedes (Uds.) - you *(formal, plural)*
va - s/he goes
vamos - we go
van - they go
vas - you go
(que) vaya - (that) s/he go
(que) vayamos - (that) we go
(que) vayas - (that) you go
veía - s/he saw, was seeing
veían - they saw, were seeing
veces - times
(a) veces - sometimes
vecindario - neighborhood
veinticuatro - twenty four
vemos - we'll see
venía - s/he came, was coming
vendría - s/he would come
(había) venido - (s/he had) come
venir - to come
ventana - window
ver - to see
verdad - true
la verdad - the truth
verla - to see her
verlo - to see him
verlos - to see them
verte - to see you
vestido - dress
vete - go
vez - time
(otra) vez - again
vi - I saw
viajar - to travel
viaje - trip
vida - life
vieja - old
(que) vieras - (that) you saw
viernes - Friday
viniste - you came
vino - s/he came
vio - s/he saw
viste - you saw
(había) visto - (s/he had) seen
(que) viva - (that) s/he live
vivía - s/he lived, was living
vivían - they lived, were living
vive - s/he lives
vives - you live
(había) vivido - (s/he had) lived
vivir - to live
vivo - I live
vámonos - let's go

(había) volado - (s/he had) flown
volvió - s/he returned
voy - I go
voz - voice
vuelo - flight
(dio la) vuelta - turned around
(se había) vuelto (loco) - (he had) gone (crazy)
y - and
ya - already
yo - I
zapatos - shoe

Cognados

abandonó - s/he abandoned
abandonado - abandoned
abdomen - abdomen
abruptamente - abruptly
acción - action
aceleró - s/he accelerated
aceptaba - s/he accepted, was accepting
aceptado - accepted
aceptar - to accept
acompañar - to accompany
acompañarán - they will accompany
acompañarte - to accompany you
acompañas - you accompany
(aire) acondicionado - air conditioning
admite - s/he admits
acto - act
aeropuerto - airport
afortunadamente - fortunately
álbum - álbum
alternativa - alternative
alucinación - hallucination
americana - American
anécdotas - anecdotes
animales - animals
ansiedad - anxiety
anticipaban - they anticipated
apropiado - appropriate
arrestando - arresting
arte - art
artista - artist
artístico - artistic
asesino - killer, assassin
(que) asumiera - that s/he assume
atacar - to attack
ataques - attacks
atención - attention
atentamente - attentively
atormentaban - they tormented, were tormenting
atormentado - tormented
atrapado - trapped
auténtica - authentic
aventura - adventure
banco - bank
barra - bar
batalla - battle
bebé - baby
beneficio - benefit
billetes - bills
bloqueó - s/he blocked
bloquearla - to block it

calmaba - s/he was calm, calmed down
calmar - to calm down
calmarlo - to calm him down
calmarse - to calm oneself
caos - chaos
carro - car
causa - cause
causaban - they caused, were causing
causado - caused
celebraciones - celebrations
celebramos - we celebrate
celebrar - to celebrate
centímetro - centimeter
centro - center
caso - case
cereal - cereal
circular - circular
claro - light, clear
clase - class
clientes - clients
clínica - clinic
cómico - funny
color - color
colección - collection
completamente - completely
comunicaron - they communicated
comunicándose - communicating
comunidad - community
concentrando - concentrating
condición - condition
conectado - connected
conexión - connection
confesó - s/he confessed
confesarles - to confess to them
confianza - confidence
consecuencias - consequences
consideraban - they considered, were considering
consoló - s/he consoled
construcción - construction
consultado - consulted
contento - content/happy
continuó - s/he continued
(que) continuara - that he continue
conversación - conversation
conversando - conversing
conversaron - they conversed
copas - cups
copia - copy
círculos - circles
crédito - credit
cuestión - question
cuestionarla - to question it

Cognados

cultura - culture
curar - to cure
curiosidad - curiosity
(que) decida - (that) s/he decide
decidió - s/he decided
(había) decidido - (s/he had) decided
decisión - decision
declararla - to declare her
decorado - decorated
deliciosos - delicious
demanda - demand
desaparecer - to disappear
desapareció - s/he disappeared
desaparecido(a) - disappeared
(que) desaparecieras - (that) you disappear
desaparecieron - they disappeared
desaparición - disappearance
desastroso - disastrous
desesperado - desperate
detective - detective
determinación - determination
devoró - s/he devoured
diagnóstico - diagnostic
difícil - difficult
diferente - different
dificultad - difficulty
director - director
disgusto - disgust
distancia - distance
distinguir - to distinguish
doble - double
doctora - doctor
documentos - documents
eléctricos - electric
elegante - elegant
eliminado - eliminated
eliminar - to eliminate
emergencia - emergency
emociones - emotions
empatía - empathy
enorme - enormous
entró - s/he entered
(había) entrado - (s/he had) entered
entrando - entering
entrar - to enter
(que) entrara - (that) s/he enter
entraron - they entered
entusiasmo - enthusiasm
escapó - s/he escaped
escapar(se) - to escape
(tengo que) escaparme - (I have to) escape
un escape - an escape
escéptico - skeptical
especial - special

especialista - specialist
especialmente - especially
estómago - stomach
estrés - stress
estudio - studio
evaluaba - s/he evaluated, was evaluating
evaluado - evaluated
eventos - events
evidencia - evidence
examinado - examined
examinar - to examine
examinarlo - to examine it
excelente - excellent
exclamó - s/he exclaimed
excusa - excuse
exhausto - exhausted
exhibiciones - exhibitions
existe - s/he exists
existen - they exist
experto - expert
explicó - s/he explained
explicación - explanation
explicárselo - to explain it to him/her
expresión - expression
familia - family
familiares - family members
famoso(a) - famous
fatal - fatal
fatiga - fatigue
favorito - favorite
figura - figure
financiera - financial
finas - fine
forma - form
forman - they form
foto - photo, picture
frenética - frantic
frenéticamente - frantically
frustración - frustration
frustrado(a) - frustrated
fruta - fruit
funeral - funeral
furioso(a) - furious
futuro - future
hiperventilar - hyperventilate
homicidio - homicide
honesta - honest
honor - honor
honrar - to honor
hora - hour
horizontalmente - horizontally
horrible - horrible
hospital - hospital
idea - idea
imagen - image
imaginado - imagined
imaginar - to imagine
imaginársela - to imagine it

Cognados

impaciencia - impatience
impaciente - impatient
imperativo - imperative
(le) importaba - it mattered (to him/her)
importantes - important
imposible - impossible
incluso - including
inconsciente - unconscious
inconsolable - inconsolable
indicaba - it indicated
(que) indicara - (that) it indicate
informó - s/he informed
inmediatamente - immediately
inmigrantes - immigrants
inmóvil - immobile
insistió - s/he insisted
(había) insistido - (s/he had) insisted
inspeccionando - inspecting
instante - instant
intención - intention
intercomunicador - intercom
interesante - interesting
interferir - to interfere
interior - interior
interrumpió - s/he interrupted
interrumpiendo - interrupting
investigó - s/he investigated
investigación - investigation
(había) investigado - (s/he had) investigated
investigar - to investigate
invitación - invitation
invitada - invited
invitarla - to invite her
invitarlos - to invite them
invitaron - they invited
irreal - unreal
irritado - irritated
legal - legal
letras - letters
lógica - logic
licencia - license
lista - list
local - local
mamá - mom
mayo - May
medicina - medicine
memoria - memory
menú - menu
mencionado - mentioned
metal - metal
metálico - metallic
mexicano - Mexican
mi - my
miembros - members
minutos - minutes
misterio - mystery

moderna - modern
momento - moment
motivo - motive
moverse - to move
movió - s/he moved
moviéndose - moving
música - music
mural - mural
muralistas - muralists
murmuró - s/he murmured
museo - museum
nacional - national
necesaria - necessary
necesitó - s/he needed
necesita - s/he needs
necesitaba - s/he needed, was needing
necesitas - you need
necesito - I need
nervios - nerves
nerviosamente - nervously
nervioso - nervous
normal - normal
normalmente - normally
notó - s/he noted, noticed
notas - notes
o - or
obediencia - obedience
observó - s/he observed
observaba - s/he observed, was observing
observando - observing
obsesión - obsession
obvio - obvious
ocurrió - it occurred
ocupaba - it occupied, was occupied
oficina - office
olor - odor, smell
operadora - operator
oportunidad - opportunity
optimismo - optimism
orden - order
ordenó - s/he ordered
ordenada - ordered, organized
originalmente - originally
otro - other
paciencia - patience
paciente - patient
pantalones - pants
papeles - papers
paralizado - paralyzed
paranoia - paranoia
paranoico - paranoid
pasé - I passed
pasó - s/he passed, it happened
pasar - to pass, happen
pasaron - they passed

Cognados

pausa - pause
penetrando - penetrating
público - public
perfecto - perfect
persona - person
perspectiva - perspective
pijama - pajamas
pinté - I painted
pintaba - s/he painted, used to paint
pintado - painted
pintar - to paint
(que) pintara - (that) s/he paint
pintaste - you painted
pinto - I paint
pistola - gun, pistol
planear - to plan
planes - plans
platos - plates
póliza (de seguros) - (insurance) policy
plástico - plastic
pánico - panic
policía - pólice
popular - popular
posesiones - possessions
posibilidad - possibility
posible - possible
posición - position
predicamento - predicament
preferimos - we prefer
prefiero - I prefer
preparó - s/he prepared
preparaba - s/he prepared, was preparing
preparando - preparing
preparándose - preparing oneself
prepararse - to prepare
presencia - presence
presente - present
privado - private
probable - probable
probablemente - probably
problema - problema
profundamente - profoundly, deeply
promoción - promotion
proyecto - project
psicólogo - psychologist
psicológicos - psychological
psicópata - psychopath
racionalmente - rationally
radiador - radiator
raro - rare
reaccionó - s/he reacted
(había) reaccionado - s/he had reacted
real - real
realidad - reality

realmente - really
recibe - s/he receives
(había) recibido - (s/he had) received
recibir - to receive
(había) recomendado - (s/he had recommended)
reconoció - s/he recognized
reconozco - I recognize
recuperado - recuperated
recuperarme(te) - to recuperate
reducir - to reduce
refrigerador - refrigerator
(se) relacionó - s/he had a relationship
relacionarse - to have a relationship with
remedio - remedy
renovaciones - renovations
repetida - repeated
repitió - s/he repeated
reportado - reported
reporte - report
representa - s/he represents
representaba - s/he represented, was representing
representar - to represent
representante - representative
reservar - to reserve
residentes - residents
responderle - to respond to him
respondieron - they responded
respondió - s/he responded
responsabilidad - responsibility
responsable - responsible
restaurante - restaurant
(el) resto - rest
resultados - results
revelación - revelation
órgano - organ
rico - rich
roca - rock
salario - salary
salsa - salsa
sarcásticamente - sarcastically
sección - section
secretaria - secretary
secreto - secret
sensación - sensation
serio - serious
serpiente - serpent, snake
servirles - to serve them
sesiones - sessions
silencio - silence
silenciosamente - silently
silenciosas - silent
simplemente - simply

Cognados

sinceramente - sincerely
sinceridad - sincerity
sitio - site
situación - situation
síntomas - symptoms
sofá - sofá
solución - solution
sospechó - s/he suspected
sospechaba - s/he suspected, was suspecting
sospechosamente - suspiciously
suficiente - enough, sufficient
sufría - s/he suffered, was suffering
sufre - s/he suffers
(había) sufrido - (s/he had) suffered
tele - TV
teléfono - telephone
temblaba - s/he trembled, was trembling
temblaban - they trembled, were trembling
temblando(le) - trembling
terapia - therapy
terrible - terrible
territorio - territory
testimonios - testimonies
tono - tone
tortillas - tortillas
torturado - tortured
tragedia - tragedy
tranquilamente - tranquilly, calmly
tranquilo - tranquil, calm
traumático - traumatic
tráfico - traffic
tumba - tomb
túnel - tunnel
turistas - tourists
unidos - united
universidad - university
vertical - vertical
violentamente - violently
violento - violent
virgen - virgin
visión - vision
visité - I visited
visitó - s/he visited
visita - s/he visits
(una) visita - a visit
visitar - to visit
visitaban - they visited, were visiting
(había) visitado - (s/he had) visited
visitas - you visit

TPRS
Publishing, Inc.
www.TPRstorytelling.com

Brandon Brown
quiere un perro

Brandon Brown
versus Yucatán

Level 1 Novels

El nuevo Houdini

Past & Present Tense - 200 unique words

(Two versions under one cover!)

Brandon Brown is dying to drive his father's 1956 T-bird while his parents are on vacation. Will he fool his parents and drive the car without them knowing, and win the girl of his dreams in the process? (Also available in French & Russian)

Frida Kahlo

Past Tense - 160 unique words

Frida Kahlo (1907-1954) is one of Mexico's greatest artists, a remarkable achievement for someone who spent most of her relatively short life wracked with pain. Frida expressed her pain through her art, producing some 143 paintings, 55 of which were self-portraits. To this day, she remains an icon of strength, courage and audacity. This brief biography provides a glimpse into her turbulent life and her symbolic art.

Bianca Nieves y los 7 toritos

Past Tense - 150 unique words

Bullfighting is a dangerous sport, and there is nothing more menacing than facing a raging bull in the middle of the ring. All eyes are on the great torero, 'El Julí,' as he faces off against the most ferocious bull in the land, but nobody, aside from his daughter, Bianca, seems to notice that his greatest threat walks on two legs, not four. In her attempt to warn and save her father, Bianca soon realizes that fighting an angry bull is much safer than battling greed and deception.

Felipe Alou: ***Desde los valles a las montañas***

Past Tense - 150 unique words

This is the true story of one of Major League Baseball's greatest players and managers, Felipe Rojas Alou. When Felipe left the Dominican Republic in 1955 to play professional baseball in the United States, he had no idea that making it to the 'Big League' would require much more than athelticism and talent. He soon discovers that language barriers, discrimination and a host of other obstacles would prove to be the most menacing threats to his success. (Also available in English & French; unique word count approximately 300.)

Esperanza

Present Tense, 1st person - 200 unique words

This is the true story of a family caught in the middle of political corruption during Guatemala's 36-year civil war. Tired of watching city workers endure countless human rights violations, Alberto organizes a union. When he and his co-workers go on strike, Alberto's family is added to the government's "extermination" list. The violent situation leaves Alberto separated from his family and forces them all to flee for their lives. Will their will to survive be enough to help them escape and reunite?

Piratas del Caribe y el mapa secreto

Present Tense - 200 unique words

The tumultuous, pirate-infested seas of the 1600's serve as the historical backdrop for this fictitious story of adventure, suspense and deception. Rumors of a secret map abound in the Caribbean, and Henry Morgan *(François Granmont, French version)* will stop at nothing to find it. The search for the map is ruthless and unpredictable for anyone who dares to challenge the pirates of the Caribbean. (Also available in French)

Level 1 Novels *(cont.'d)*

Los Piratas del Caribe y el Triángulo de las Bermudas

Past Tense - 280 unique words

When Tito and his father set sail from Florida to Maryland, they have no idea that their decision to pass through the Bermuda Triangle could completely change the course of their voyage, not to mention the course of their entire lives! They soon become entangled in a sinister plan to control the world and subsequently become the target of Henry Morgan and his band of pirates.

Noches misteriosas en Granada

Present Tense - Fewer than 300 unique words

Kevin used to have the perfect life. Now, dumped by his girlfriend, he leaves for a summer in Spain, and his life seems anything but perfect. Living with an eccentric host-family, trying to get the attention of a girl with whom he has no chance, and dealing with a guy who has a dark side and who seems to be out to get him, Kevin escapes into a book and enters a world of long-ago adventures. As the boundaries between his two worlds begin to blur, he discovers that nothing is as it appears...especially at night! (Also available in French)

Robo en la noche (Prequel to Noche de Oro)

Past & Present Tense - 380 unique words

Fifteen-year-old Makenna Parker had reservations about her father's new job in Costa Rica, but little did she know that missing her home and her friends would be the least of her worries. She finds herself in the middle of an illegal bird-trading scheme, and it's a race against time for her father to save her and the treasured macaws. (Present tense version available in French)